avec ce livre je me
souhaite de douces
matinées

QI GONG

« LE VOL DE LA GRUE »

Méditation et mouvements
une force d'auto-guérison
pour le corps, l'âme et l'esprit

Astrid SCHILLINGS
et Petra HINTERTHÜR

QI GONG

« LE VOL DE LA GRUE »

Méditation et mouvements une force d'auto-guérison pour le corps, l'âme et l'esprit

Traduction française
Odile Ancel-Grézillier

3e Édition

Médicis-Entrelacs
10 ter, rue du Parc - 91852 Orsay Cedex

Sommaire

Troisième partie

PRATIQUE EXTERNE ET CHEMINEMENT INTÉRIEUR
par Astrid Schillings

Quatrième partie

ANNEXE

Premier Avant-propos

Quand je me rendais le matin vers 10 heures chez Cheung Chun Wa à Hong Kong, pour le cours de Qi Gong, il y avait souvent là des gens assis sur le petit canapé en cuir de la famille, dans le salon qui servait aussi de salle de cours.Tous venaient juste de terminer leur séance d'entraînement et se reposaient tout en bavardant en chinois. De temps en temps, quelqu'un, le plus souvent une femme, me demandait avec sympathie, dans l'anglais très agréable de Hong Kong : « Et vous, de quoi souffrez-vous ? » Je m'entendais alors répondre : « De rien de particulier, je voudrais juste apprendre »...

Ce n'est qu'à cet instant que je prenais conscience de ce qu'était réellement le Qi Gong : une méthode de soins active sans ordonnance ni médicament. Chaque fois la personne qui m'avait posé cette question, se mettait à me parler de son cancer, ou de ses problèmes de cœur ou d'estomac, ou bien de toute autre maladie qui l'avait guidée jusqu'à ce petit appartement, au 11ème étage d'un immeuble du port de Hong Kong. Mais pourquoi donc en effet désirais-je suivre cet enseignement, si « je n'avais rien » ? Je ne savais que répondre. C'était en fait l'ensemble des exercices du Qi Gong, et cela seul, qui m'intéressait.

Ce n'est que peu à peu, et bien plus tard, que le côté pragmatique du Qi Gong — « du Vol de la Grue » — m'apparut. Non pas que son utilisation pratique m'ait semblé sans importance. Ma qualité d'« assistante » professionelle me faisait bien sentir là quelque sérieuse interpellation : ces exercices au caractère psychosomatique, peu onéreux, pratiques, adaptés à tous et à toutes, cette thérapie généraliste, à la fois préventive et curative, cette mobilisation du corps, de l'âme et de l'esprit, tout ceci en un seul entraînement : cela me semblait formidable! Et pourtant, tout ceci ne touchait encore que de loin ce qui est le cœur, l'essence même, de « la Grue » ; ce qui la meut, fondamentalement.

Le jour où, pour la première fois, je vis interpréter ces mouvements au Japon par Petra Hinterthür, je ne savais pas que Zhào Jin Xiang, l'inventeur de cette forme de Qi Gong, avait dû rester assis longtemps, en silence, avant de mettre au point cet entraînement ; je ne savais pas non plus combien il avait été malade avant d'être « sage ».

Ce fut alors comme si j'avais reconnu dans ces mouvements quelque chose qui ne m'était pas étranger ; dans ces tracés, pour la plupart circulaires et lents.

Pour les exécuter, il suffit de se mettre debout et de se mouvoir — intérieurement et extérieurement — de droite et de gauche, vers le bas et vers le haut, avec les bras, les jambes, la tête et le buste. C'est de la même façon qu'un grand oiseau fait monter et descendre ses grandes ailes en volant. Et pourtant, si nous l'observons un instant avec attention, il semble que l'espace et le temps s'étirent autour de lui, et que le silence, la paix, deviennent comme perceptibles. Quelque chose s'écoule goutte à goutte, dont Zhào Jing Xiang dit que ce serait comme la sagesse du cosmos reflétée à travers le corps.

Le Comte Dürckheim appelle cela « le corps que je suis », par opposition au « corps que j'ai »[1] Dans la pratique du Qi Gong , chacun décide pour soi-même. Moi, je peux par exemple m'entraîner avec « le corps que j'ai », pour ma santé, mes compétences et pour ma réussite personnelle. Tout ceci est parfaitement légitime. Je peux aussi m'entraîner, pour plus de réceptivité de mon être physique et de mon psychisme, de mon âme et de mon esprit, à la sagesse, ce qui me permettra d'être « qui je suis » vraiment. Cela aussi est envisageable.

A maintes reprises, Cheung Chun Wa a souhaité que le « Vol de la Grue » soit enseigné en Europe. Depuis toujours il était persuadé, que le Qi Gong pouvait aussi bien agir sur les Européens que sur les Chinois. « You will find your way to tell the people, what the flying Crane is about. That is how I did it »[2]. Ce n'est certainement pas par des mots que je pourrai le remercier pour son infatigable patience et ses encouragements.

C'est à Cheung Chun Wa que l'on doit en effet l'impulsion initiale de cet ouvrage sur le Qi Gong de la Grue. Il a soutenu ce travail avec force et générosité. Nous lui sommes particulière-

---

1. n.d.T. : en allemand « Leib » et « Körper » sont deux mots différents pour « corps »..
2. n.d.T. : En anglais dans le texte : « Vous trouverez vous-même la façon d'expliquer à chacun ce qu'est le "Vol de la Grue". C'est ainsi que j'ai procédé moi-même. »

ment reconnaissantes d'avoir pu échanger avec lui directement en langue anglaise, sans intermédiaire.

D'autre part, à travers le travail d'écriture de ce livre d'exercices, ce sont les chemins de deux personnes qui se sont croisés et ont trouvé leur expression commune. En analysant ce qu'est le Qi Gong, et ce qu'il représente pour chacune d'entre nous, les auteurs, nous avons découvert ce que nous avons en commun, ce qui nous rassemble aussi bien que ce qui nous différencie. Et nous avons décidé d'entreprendre ensemble la description de ces exercices, et d'en porter ensemble la responsabilité, de telle façon que toutes les informations dont nous avons disposé se fondent les unes dans les autres.

Le tutoiement, style direct, nous a semblé particulièrement adapté pour l'apprentissage. Dans notre recherche pour déterminer les différents chapitres, les phrases, voire les mots, nous avons éprouvé de grandes joies quand nous étions en phase, mais aussi de la douleur quand rien ne semblait plus concorder. Chacune y a gagné un peu plus en patience, pour l'autre et pour soi-même, et pour cet entraînement Qi Gong.

Je remercie ceux qui s'instruisent auprès de moi, mes élèves, pour l'aide et la stimulation qu'ils m'ont si complaisamment apportées. Je remercie également Hedio von Stritzky, le Docteur Haumont, ainsi que Edith, Sébastien et Béate Schillings pour leur aide spontanée.

Petra et Paul Hinterthür m'ont invitée chez eux à Hong Kong. Et ce n'est qu'ainsi qu'il m'a été possible d'apprendre le « Vol de la Grue ». Je les remercie bien sûr du fond du cœur, d'abord pour leur amitié, et ensuite pour m'avoir laissé tout le temps nécessaire à ce travail.

Ma gratitude va encore, et en particulier, à Bill Fraser, qui fut le premier à qui j'ai pu transmettre mes connaissances. Sa patience et sa participation m'ont été d'un grand soutien.

Astrid Schillings

Second Avant-propos

Lorsqu'en automne 1983 à Hong Kong, j'eus mon premier contact avec les exercices respiratoires et les mouvements Qi Gong, je me sentais très fragile sur le plan physique comme sur le plan spirituel. Les médecins chinois orthodoxes m'avaient certifié un état de santé correspondant à toutes les normes imaginables et pourtant je ressentais en moi comme une souffrance profonde, fondamentale. Je ne savais comment y répondre.

Le médecin allemand, Dr Roland Heber, qui vivait alors à Hong Kong, m'amena un jour chez le phytothérapeute chinois Wu I-San, qui établit son diagnostic après avoir apposé trois doigts sur mon pouls à chaque bras. D'après lui j'avais au niveau du foie trop de chaleur et ce qu'il appelait une « stase » d'énergie, au niveau de la rate un défaut en Yang, au niveau de l'estomac une excitation correspondant au foie « brûlant », et les reins déjà bien affaiblis. Depuis j'ai appris qu'un tel état de « grande chaleur au niveau du foie », s'il dure longtemps, peut mener à une lente consumation interne de l'organisme, et à de graves maladies. Ce fut très intéressant pour moi de constater que pour des médecins de culture occidentale j'étais bien portante, et que pour des « guérisseurs » chinois traditionnels, je présentais des insuffisances corporelles considérées comme déjà très préoccupantes.

Ce médecin allemand me présenta également à l'instructeur chinois de Qi Gong, Cheung Chun Wa, qui enseignait le Hè Xian Zhuang, c'est à dire le « Vol de la Grue »- Qi Gong. Cette forme de Qi Gong est basée sur une suite d'exercices bien déterminés, qui imitent les mouvements de la grue. Nos rencontres avaient lieu tous les mardis soir dans une salle de cours d'à peu près 10 m2, qui servait aussi de studio de chant. J'étais alors la seule étrangère et débutante, tandis que, dans le même temps et dans la même pièce, la femme de Cheung Chun Wa enseignait à six autres élèves avancés. L'atmosphère était détendue et pourtant recueillie. Chacun savait exactement pourquoi il était là et pourquoi il apprenait le Qi Gong. Il ne s'agissait en aucune façon d'une réunion conviviale à vocation « socio-communicative ».

Après cinq minutes de discussion entre nous, ce qui nous détendait et nous préparait, nous passions à l'enseignement proprement dit, qui durait une heure. La présence des élèves avancés était pour moi très appréciable, car je pouvais ainsi apprendre non seulement de mon instructeur, mais aussi de chacun d'entre eux. Je trouvais alors particulièrement fascinants les mouvements de la sixième forme, la dernière, celle qui est introduite par le Qi et qui peut être décrite comme une « forme sans forme » du Qi Gong.

Au bout de huit semaines environ, j'avais appris les cinq formes d'exercices du « Vol de la Grue », de telle sorte que je pus alors passer à la sixième forme précisément. Je dois dire que j'étais un peu crispée et que je cherchais à influer de façon beaucoup trop volontariste et cérébrale sur l'automatisme du mouvement. Quatre semaines plus tard je ressentis les effets négatifs de mes efforts volontaristes, tellement peu naturels : je souffris alors de maux de tête, j'eus un sommeil très agité, je fis des rêves désagréables, je sentis ma poitrine oppressée, j'eus même de légers étourdissements, et sans cesse j'avais l'impression que j'allais vomir. Alors j'arrêtais un temps toute pratique du Qi Gong. J'étais en effet dans le doute et l'angoisse de voir mon état empirer. Puis peu à peu je me remis à l'entraînement, mais irrégulièrement, ce qui eut pour conséquence de n'améliorer que très lentement mes dispositions physiques et mentales.

C'est en décembre 1985 que je fis la connaissance d'Astrid Schillings. C'était dans un couvent japonais, au cours d'un séminaire intensif de méditation Zen. J'occupais une chambre recouverte d'un tatami. Un soir, elle poussa la porte coulissante en papier de ma chambre et voulut m'avertir que le « O-Furo » (le bain chaud) était libre. Elle me surprit alors dans la position des Colonnes du ciel qui fait partie de la deuxième forme de l'entraînement. Elle fut immédiatement enthousiasmée par le Qi Gong. Et par la suite elle me rendit visite à Hong Kong où elle apprit aussi le « Hè Xian Zhuang » avec Cheung Chun Wa.

Je lui suis très reconnaissante d'être venue et de m'avoir ainsi rapprochée de cette forme d'exercice à travers son propre enthousiasme pour le Qi Gong. C'est d'ailleurs depuis, que je pratique régulièrement le « Vol de la Grue » et que cela me réussit. Grâce à ces exercices, et à la méditation, je vais bien dans mon corps aujourd'hui . Mon état moral s'est également stabilisé. Je me sens plus décontractée, moins agressive et plus positive. Mes relations avec les autres sont plus authentiques, plus confiantes et moins exigeantes. Je suis aujourd'hui reconnaissante de ce que je suis, et je m'accepte telle que je suis[3].

Il y a peu de temps, j'ai dû abandonner les exercices de Qi Gong pendant quelques semaines, car j'ai travaillé de façon très intensive, en partie de nuit. J'ai constaté que des symptômes tels que l'agressivité se faisaient de nouveau sentir en moi et que je n'étais pas loin de retomber dans quelques vieux travers de comportement. A travers ces exercices de Qi Gong, ce n'est pas seulement la conscience que j'ai de mon corps qui évolue, c'est aussi ma vigilance qui se renforce, particulièrement en ce qui concerne certains « jeux comportementaux ».

Pour moi il est maintenant clair que seule la continuité de l'entraînement peut assurer un résultat durable. De même que le fleuve n'est fleuve que tant que son eau s'écoule, de même le succès du Qi Gong risque l'enlisement, si le cours des entraînements est interrompu.

Ici en Occident, on continue à se poser de nombreuses questions quant à la nature du Qi. Il en existe en effet diverses définitions (voir chap.1). Mais je crois qu'il est important de l'avoir éprouvé en soi-même un jour pour bien comprendre de quoi il s'agit. Pour la première fois il y a huit ans, j'ai lu quelques lignes à propos du Qi dans des livres qui traitaient d'histoire de l'art chinois. C'est en effet en 490 après J.C. que Xie Hè écrivit un essai sur les six principes (les six lois) de la peinture chinoise. Le principe le plus important en était, d'après lui, la manifestation, l'expression du Qi, l'âme, le rythme, le pouls de la vie. Sans Qi, une image restait ennuyeuse, sans vie.

Et c'est encore là de nos jours la façon de penser des Chinois. Une image sans Qi ne dégage rien d'autre que de la virtuosité technique. Et comme le rythme spirituel et cosmique traduit dans un paysage chinois le summum de l'art de la peinture, de la même façon, on a transposé ce principe de vie dans la Chine classique à tous les domaines de l'art, de la culture et même de la politique.

Et pourtant il y a une grande différence entre parler du Qi, écrire sur ce sujet, le reconnaître comme quelque chose d'extérieur à soi, et le percevoir véritablement en soi. La première démarche est une approche extérieur du Qi, l'autre est un défi à soi-même. En faisant des exercices de Qi Gong, on perçoit très

---

3 Depuis l'automne 1988, j'ai décidé d'enseigner le Qi Gong.

vite le Qi, sous forme de chaleur, de picotements ou de vibration. Il s'agit là du Qi intérieur, celui qui nous est propre, et qui coule et agit dans notre organisme. Il existe aussi le Qi extérieur, qui de l'extérieur peut être dirigé vers notre corps.

Il m'est arrivé un jour quelque chose de très intéressant justement : c'était lors d'un dîner chinois à Hong Kong alors que je rencontrais un maître Qi Gong de Beijing. Il se mit à décharger son Qi sur moi, par delà une distance de près de quatre mètres, à travers du papier ou n'importe quel autre objet. Il fallait que je tienne mes mains ouvertes devant moi à hauteur de la tête. Sans que je le veuille du tout, mes doigts commencèrent à se mouvoir. Des émotions retenues, prisonnières et profondément enfouies au fond de moi remontèrent et se manifestèrent à moi. C'est alors que je sentis en moi la force du Qi presque comme par secousses. Cela m'emportait comme une vague de fond.

Cet homme avait donc réussi de façon tangible à débloquer en moi le Qi que j'avais en trop grande quantité bloqué au niveau de la tête, et il l'avait orienté vers mon Dantian (voir chap.5). Ceci me fit l'effet d'une grande jubilation, comme une coulée, un grand épanchement. Par la suite j'éprouvai un incroyable soulagement. Je commençai à rire et tout le monde autour de moi rit avec moi, étonnamment libéré. L'humeur ambiante était détendue, libre, presque extatique.

Il m'est arrivé encore à plusieurs reprises de me laisser aller à la tentation de la recherche d'énergie apportée de l'extérieur. Mais « cueillir des fleurs dans le jardin du voisin » n'apporte jamais qu'une joie et une amélioration éphémères. Les fleurs se fânent et tout le bénéfice passe. Il vaut mieux semer soi-même et nourrir ses racines dans son propre sol.

Lors d'un voyage à travers la Chine, j'ai eu la chance un jour à Beijing de rencontrer l'inventeur du Qi Gong de la « Grue volante », Zhào Jin Xiang. Je n'y ai pas grand mérite car tout le monde peut le rencontrer ainsi. Mais pour moi il était très important de faire sa connaissance. Cet homme célèbre était à la fois modeste et bienveillant. Toutes ses recommandations pour ceux qui voudraient apprendre à pratiquer le Qi Gong de la Grue se limitent simplement aux préceptes suivants :

- relâchement de toute tension interne,
- ouverture d'esprit,
- disponibilité de l'âme et du corps,
- recherche d'harmonie

15

En conclusion, j'aimerais exprimer ma gratitude aux personnes suivantes :

Dr Roland Heber, qui m'a présenté le maître de Qi Gong Cheung Chun Wa,

Cheung Chun Wa qui a été mon professeur attentif, patient, ouvert et compétent,

Astrid Schillings, qui m'a rapprochée de la pratique du Qi Gong et qui est devenue pour moi à travers le Qi Gong, une amie chère et une inspiratrice,

Wong Kee-Chee à Hong Kong et Hua Hengbo à Hambourg, qui m'ont aidé à traduire des textes chinois,

Wu I-San et Dr Dông Jîn à Hong Kong, qui m'ont appris la Vérité et m'ont ouvert les portes de la médecine chinoise et ses secrets,

enfin ma famille, Paul et Peer, qui avec patience m'ont soutenue et comprise pendant tout le temps de mon travail.

Petra Hinterthür

PREMIÈRE PARTIE

LES BASES

par Petra Hinterthür

Chapitre 1

QU'EST-CE QUE LE QI GONG ?

« L'Esprit de la Vallée ne meurt pas,
c'est la femelle obscure.
La porte de la femelle obscure est la racine de Ciel et Terre »

Lao Tseu, Tao te King, 6ème vers[1]

Le Qi Gong est un art ; Quiconque peut l'aborder, quels que soient ses connaissances, son origine ou son âge. Cet art peut se pratiquer en position debout, assise ou allongée. Pour les personnes bien portantes il sert à prévenir la maladie, et il offre aussi la possibilité de transmuer le Qi par la méditation en une énergie supérieure, capable de libérer le mental et d'aider chacun à retrouver son équilibre et ses racines originelles. Il peut être utilisé comme méthode thérapeutique auprès de personnes malades. La pratique systématique et régulière des exercices de Qi Gong renforce le Qi, favorise un état de bonne santé et permet d'éprouver une impression de bien-être général, qui agit de façon positive sur l'esprit, aussi bien que sur le système nerveux.

Presque toutes les maladies peuvent être soignées par la pratique du Qi Gong, ou du moins leur effet peut en être adouci. Il est cependant important que chacun commence d'abord par se sentir en quelque sorte responsable personnellement de sa maladie et que chacun envisage celle-ci comme une vraie chance qui lui est donnée d'améliorer sa façon de vivre et d'être. De nouvelles observations ont pu être faites en Chine, qui montreraient que même des cas de cancer peuvent être soignés ainsi.

Si nous nous interrogeons un tant soit peu sur la signification exacte de ce que l'on appelle le Qi, on peut revenir sur une interprétation qui est donnée dans le 6ème vers du Tao Te King de Lao Tseu. « La vallée » signifie l'espace vide entre les parois de la « montagne ». On dit « la vallée », parce que cela n'a pas d'existence en soi, on dit « l'esprit » parce que pour autant ce n'est pas « rien ». On pourrait à la rigueur traduire : « l'esprit et la matière dans leur unité, sont éternels »[1].

C'est ainsi que l'on pourrait trouver, un peu de la même façon, ce que signifie le Qi : le Qi n'est pas visible et pourtant il

---

1. N.d. Ed. : Éditions Librairie de Médicis, *Tao Te King*, de Richard Wilhelm.

n'est pas « rien », c'est-à-dire qu'il est là, tangible. Il s'écoule à travers le corps et il est essentiel, nécessaire à la vie de tout l'organisme. On ne peut pas le toucher et pourtant son action est perceptible sur le corps, aussi bien que sur l'esprit, le mental, et l'âme.

L'une des traductions du mot chinois Qi, serait air, vapeur, ou souffle. Cela correspond un peu au terme grec « Pneuma » ou au sanskrit « Prana ». On peut encore traduire le mot Qi par des expressions comme l'énergie de vie, ou la force de la vie, ou l'énergie originelle, l'essence de la vie, le fluide subtil, l'électricité du corps, nuages, rythme fondamental....

Les Sages chinois anciens croyaient que le Qi était le fondement de toute croissance et de tout développement. Dans le « Livre des Souffrances », écrit sous la dynastie Zhou (1122-255 avant J.C.), il est dit que « la vie apparaît quand le Qi est disponible ; les formes se constituent quand le Qi se déploie ; la croissance commence quand le Qi bouge. »

La tradition populaire chinoise raconte aussi qu'une personne est en bonne santé quand elle a suffisamment de Qi en elle, et s'il vient à lui manquer du Qi, elle deviendra chétive et son rayonnement deviendra négatif. Quand elle n'a plus de Qi, plus de force vitale, elle meurt. Le secret d'une santé bien équilibrée est donc de n'avoir ni trop ni trop peu d'énergie de vie.

Les Chinois ont pu définir plus de trente sortes de Qi et nous n'en évoquerons ici que quelques-unes :

le Xiantianzhi Qi (ou Yuan Qi) représente l'énergie d'avant la naissance, l'énergie embryonnale ou originelle. Elle est stockée dans les reins (c'est l'Energie du rein). Cette énergie originelle est consumée au cours de la vie, lentement, et elle reçoit le complément du Houthianzhi Qi, l'énergie post-embryonnale ou Qi acquis.

Ce Qi acquis est constitué à la fois du Qi alimentaire (apport d'énergie par notre nourriture et les boissons) et du Qi de la respiration. De l'oxygène est en effet apportée au corps et sert à transformer les aliments nutritifs en énergie ; la respiration augmente la puissance du Qi.

De même que le souffle va et vient naturellement, de même le Qi est une sorte de grand fleuve incessant qui va couler d'autant plus vite et avec d'autant plus de puissance qu'on l'alimente en eau. Ce grand fleuve d'énergie pénètre dans tout le corps et le parcourt de toutes parts. Il se répand à travers un réseau dense de voies d'énergie, que l'on nomme les méridiens (voir chap.5). Il alimente les organes, les tissus, les muscles, le sang et les nerfs, et leur apporte force et puissance vitale, chaude et essentielle.

Le Qi va toujours là où il est nécessaire : aux endroits de blocage dans les méridiens, dans les organes malades, ou encore vers les points affaiblis de l'organisme. Il va de lui-même, sa principale caractéristique étant de couler tel un flux.

C'est la relation entre le Qi originel et le Qi acquis, post-embryonnal, que l'on désigne par Zhen Qi, ou Qi véritable. Ce Qi véritable est en soi le fondement de l'ensemble des capacités fonctionnelles de notre organisme.

Dans les définitions qu'en donnent les sages chinois, l'élément Qi est complété par deux autres éléments énergétiques, le Jing et le Shen. Qi, Jing et Shen sont d'ailleurs appelés les trois « trésors » de l'être humain. Il forment à eux trois une entité indispensable à la vie.

Jing c'est l'essence, la matérialité de l'être. C'est la racine, l'origine, la mère, les fondations du Qi. Dans cet ordre d'idées, le Qi lui-même serait le tronc, ou l'enfant. Le Jing est également stocké dans les reins. Il incarne le sang, et façonne les écoulements extérieurs, les matières fines de l'organisme, comme par exemple celles de la procréation. C'est pour cela qu'on l'appelle aussi Qi semence ou énergie sexuelle. De plus le Jing a en charge la répartition des éléments nutritifs et l'ensemble des activités matérielles du corps[2].

Shen est l'élément complémentaire de Qi et de Jing. On le traduit souvent par « force divine » ou « esprit », car il exerce son influence sur les fonctions du conscient et de l'inconscient. Shen désigne « un flux actif dont les qualités sont d'organisation, de transformation, d'influence originale et de construction de la personnalité »[3]. Il représente l'indicible secret de la spiritualité. Shen est comme une cassette précieuse où s'unissent le Yin et le Yang, le macro et le microcosme, le divin et l'humain.

---

2. *Liu*, Frank, *Liu*, *Yan Mau* : « Chinese Medical Terminology », The Commercial Press, Hong Kong, 1980, pag. 17, section 19-21.
3. Porkert, Manfred : « Die theoretischen Grundlagen der chinesischen Medizin », [« Les Bases Théoriques de la Médecine Chinoise »], Hirzel Editeur, Stuttgart, 1982.

La pratique du Qi Gong est l'un des moyens, entre autres, d'agir sur le cours du Qi et de l'activer. Gong signifie exercice, méthode, action, travail, discipline, enseignement, activation. Le Qi Gong est une méthode ou un entraînement chinois, un exercice de méditation taoïste, axé sur le mouvement. Il est supposé activer le Qi et favoriser son écoulement. Il consiste en une série de mouvements précis, amples et fluides, soutenus par la respiration, la relaxation du corps, et la méditation.

A l'origine il y eut en Chine 5 écoles différentes, où l'on apprenait et pratiquait le Qi Gong : les écoles taoïste, bouddhiste, confucéenne, les écoles de médecine et de sports de combat[4]. Toute ces écoles poursuivaient le même objectif : maintenir en bonne santé l'esprit, l'âme, et le corps, ou les rétablir en bonne santé.

Mais alors que les deux premières écoles centraient leur travail sur la consolidation spirituelle et mentale, les adeptes de Confucius accordaient une importance primordiale au contrôle de soi, à la droiture, à la culture, et à la morale.

Le but principal de l'école médicale était quant à elle la guérison des maladies ; et pour ce qui concerne les sports de combat, on mettait l'accent sur le développement de la force et de la résistance physiques.

Aujourd'hui les limites sont plus souples. Il y a même plusieurs tendances qui sont développées en une seule forme de Qi Gong, en particulier en Occident.

A l'origine les taoïstes ont souvent fait la différence entre le Wai Dan et le Nei Dan Qi Gong. On peut traduire Wai Dan par « élixir de vie alchimiste »[5] que l'on peut obtenir en prenant certaines potions magiques (par exemple la « pilule d'immortalité »). De nombreuses légendes, des histoires ou des biographies d'empereurs ou d'autres personnalités tournent autour de la quête de cette fameuse « pilule d'immortalité ».

Cependant certains sont morts de cette recherche de vie éternelle, après avoir ingurgité quelque poison de mercure ! (Dantian, le « réservoir du Qi », peut aussi se traduire par « champ de

---

4. « Chinese Qi Gong Therapy », Shandong Science and Technology Press, Jinan/Chine, 1985, pag. 6.
5. Yang, Jwing-Ming, Dr. : « Chi Kung », YMAA, Yang's Martial Arts Academy, Boston/USA, 1985, pag. 9/14.

23

cinabre » : les anciens sages faisaient une relation directe entre le mercure et la notion d'immortalité). Dans le Qi Gong Wai Dan on associait la prise de substances étrangères (comme pilules ou poudre) aux exercices respiratoires et à des mouvements — très parcimonieux d'ailleurs.

C'est le Nei Dan, également appelé « élixir intérieur » — parce que l'on peut atteindre la longévité par des exercices internes qui est la base de toutes les pratiques de Qi Gong actuelles. La personne qui s'entraîne fixe son attention sur le Dantian (voir chap.5), le « grand circuit » et le « petit circuit ». C'est également le cas pour le Qi Gong du Vol de la Grue. Ici, le Qi est renforcé par des exercices précis. Il est régénéré. Et par la technique de la visualisation, il est conduit à travers le corps.

C'est surtout comme méthode thérapeutique que l'on préconise et que l'on pratique le Qi Gong dans les hôpitaux, ou alors, il est enseigné à titre privé par des particuliers.

Chapitre 2

APERCU HISTORIQUE

*Le passé nous aide
à percevoir le présent
et à ouvrir les yeux sur l'avenir.*

Petra Hinterthür

Il n'y a que peu d'écrits sur l'histoire du Qi Gong et encore, ceux-ci sont-ils très fragmentaires. Traditionnellement les instructeurs chinois se sont contentés de transmettre leur savoir oralement, de maître à maître, ou de maître à élève.

C'est le livre chinois de médecine classique Huangdi Neijing Suwen, simplement appelé Suwen (IIIe-IIe siècles avant J.C.), qui est reconnu comme le plus ancien document écrit dans lequel on trouve quelques détails sur le Qi Gong. Il aurait été à l'origine écrit sous le règne du légendaire Empereur Jaune Huangdi (2697-2597 avant J.C.). Au chapitre Shuwen Shangutian Zhenlun[1], on trouve :

« Il est des êtres sur terre qui connaissent le secret du Yin et du Yang. Ils respirent l'air cosmique et savent se concentrer intérieurement. Leur corps et leur esprit ne font plus qu'un, et ils pourront vivre jusqu'à ce que le ciel et la terre se transforment ».

Le « Yijing » (Yi-King ou « Livre des Transformations[2] ») est un livre de sagesse, ou d'oracles chinois, qui date de 2400 avant J.C.. Il est basé sur l'idée d'une interaction entre le Yin et le Yang. Les forces de la nature y sont représentées sous la forme de 8 trigrammes, desquels on peut déduire la combinaison de 64 hexagrammes.

Les tenants de « l'Alchimie Intérieure » les ont empruntés pour représenter symboliquement les différents processus de transformation intérieure[3].

Les 8 trigrammes sont encore aujourd'hui utilisés pour décrire le mouvement du Qi dans le corps. A la période Zhanguo (époque des Etats Combattants, 476-221 avant J.C.), les Chinois avaient une connaissance déjà plus avancée des lois du Qi Gong et des exercices de respiration guidés par le Qi.

---

1. « Huangdi Neijing Suwen », IIIe-IIe siècles avant J.C.
2. Edité par la Librairie de Médicis.
3. « Lexikon der Östlichen Weisheitslehre », [« Lexique des Enseignements Philosophiques Orientaux »], Scherz Editeur, Munich, 1986, p. 159.

Lors de fouilles, on a un jour découvert 12 colonnes de jade datant de cette époque, sur lesquelles se trouvait la mention suivante :

« En inspirant profondément on développe le Qi. Quand on arrive à laisser pénétrer et à conduire le Qi en soi, à volonté, on parvient à la paix et à la force. A l'expiration, le Qi monte jusqu'au sommet. On prend ainsi contact avec les secrets du ciel et de la terre. Si l'on s'exerce conformément à ce principe, on pourra vivre longtemps »[4].

Lao Tseu lui-même fut le champion de la médecine et de cette intelligence de la vie que l'on dit intuitive. (LaoTseu, environ 571 avant J.C., contemporain de Kongzi : Confucius). Lui aussi, dans son Livre des Sens (Daodejing = Tao te king), fit mention de cette technique à la fois naturelle, intuitive et consciente, qui active le flux du Qi et sert à l'entretien et au prolongement de la vie.

Son célèbre successeur Zhuangzi (Tchouang Tseu, 350-270 avant J.C.) reprit ce concept de Qi, qu'il précisa encore plus avant comme une manifestation de l'« esprit » ou de l'« âme ». C'est lui qui le premier parla du Qi au sens spirituel du terme. Pour lui on pouvait retrouver le Qi non seulement dans le Tout, et dans le corps humain, mais aussi dans l'ensemble des domaines de la vie.

L'un des principes les plus importants en peinture chinoise est de conférer à l'œuvre l'empreinte du Qi. Il faut qu'il en émane un rythme et une vitalité qui induisent le rayonnement de l'œuvre. Il y faut du cœur, une âme, et pas seulement une démonstration de virtuosité technique. Le Qi est comme une voix sourde, la résonance d'un écho secret, celui du Grand Univers. Tchouang Tseu a insisté sur la dimension métaphysique de toute existence physique.

Ce sont aussi des moines taoïstes et de nombreux savants qui se sont le plus intéressés à l'étude du Qi et à cet « élixir de vie alchimique »[5]. Les adeptes de Confucius ont également pratiqué le Qi Gong, mais surtout dans le sens d'une meilleure adaptation de leurs forces physiques et intellectuelles à un ordre social établi

---

4. Zhao, Jin Xiang : « Zhongguo Hè Xiang Zhuan-Qi Gong (Fliegender Kranich-Qi Gong) », [« Le Qi Gong du Vol de la Grue »], Beijing Editeur, Beijing/Chine, 1986.
5. Yang, Jwing-Ming, Dr. : « Chi Kung », *op. cit.*, chap. 1, p. 3.

dont ils se considéraient comme les détenteurs, et dont ils avaient à assurer la pérennité et l'organisation même.

A la suite de la propagation du bouddhisme en Chine (à partir de 67 après J.C.), des éléments de yoga indo-bouddhiste se mêlèrent de façon très fructueuse aux pratiques Qi originelles de la Chine taoïste. Il existe d'anciens textes sacrés dans la tradition taoïste et bouddhiste, qui mentionnent l'existence du Qi et la pratique du Qi Gong.

C'est en particulier dans les monastères taoïstes et bouddhistes que le Qi Gong s'est développé comme pratique fondamentale et méthode active pour renforcer l'énergie physique et spirituelle, et pour entretenir la bonne santé.

A travers la connaissance du Qi, c'est la perfection, la liberté et l'immortalité que recherchaient les moines.

Au cours des siècles, divers sports de combat se sont également développés, en particulier des méthodes d'auto-défense comme le Gongfu (célèbre par l'école Shaolin Gongfu du monastère de Shaolin), le Tai Ji Quan ou le Tai Guan Do. L'auto-défense faisait alors pour ses pratiquants partie intégrante de l'art de vivre.

Sous les dynasties Qin et Han (221 avant J.C.-220 après J.C.), plusieurs ouvrages ont été écrits à propos du Qi Gong, si bien que l'existence et la connaissance du Qi trouvèrent une audience accrue en Chine.

A l'époque des « Trois Royaumes » (220-280 après J.C.), un célèbre médecin du nom de Huang Tuo écrivit un traité sur les remarques qu'il avait faites en observant la manière dont se meuvent les animaux. Il avait constaté que l'imitation des mouvements du tigre, du cerf, de l'ours, du singe ou de l'oiseau, améliorait l'état de santé de l'homme et pouvait guérir certaines affections[6].

Des moines du monastère de Shaolin mirent au point une méthode de Gongfu, basée sur l'imitation des mouvements de cinq animaux : le tigre, le léopard, le serpent, le dragon et la grue. En effet, les animaux savent d'instinct comment se mouvoir, et nous avons beaucoup à apprendre d'eux.

---

6. « Chinese-English Terminology of Traditional Chinese Medecine », Hunan Science and Technology Press, Hunan/Chine, 1981, p. 708.

C'est vers la fin de la dynastie Song (960-1276 après J.C.) que Zhang Sanfeng fonda le Tai Ji Quan (ou Chang San-Feng, dont on n'a jamais pu définir exactement l'identité). La méthode de l« Immortel », Fu[7], reposait sur les écrits de l'Empereur Jaune Huangdi, du Yi King et sur les enseignements de Lao Tseu et Tchouang Tseu. Ils affirmaient que tout mouvement provient du non-mouvement, et que le corps ne bouge pas de lui-même, mais est mû. Le Tai Ji Quan, l'« Ultime Sublime », se développa à partir du Nei Dan Qi Gong.

Au cours des siècles plus de 3600 écoles de Qi Gong ont vu le jour, mais la plupart n'existent plus aujourd'hui. Dans la Chine actuelle ce sont quelque 100 formes de Qi Gong différentes qui sont pratiquées. Les événements politiques du XXème siècle ont eu entre autre pour conséquence le déclin, l'oubli voire même l'interdiction du Qi Gong.

Jusqu'en 1949 la médecine occidentale prit de plus en plus d'importance et fit régresser les méthodes de soins tradition-nelles en Chine, au point de les enfouir dans l'inconscient chi-nois. Le gouvernement du Guo Mingdan avec Jiang Jie Shi (Chiang Kai-Shek) interdit l'usage de la médecine chinoise sous prétexte qu'elle encourageait la superstition.

Ce n'est que lors de la première Conférence Nationale sur la Santé en 1950, après l'appel que Mao Zedong lança en faveur de l'union des médecines occidentale et chinoise pour le mieux-être des masses, que la situation s'éclaircit. Cependant on ne re-commandait encore le Qi Gong qu'en prévention de maladie et pour le maintien de la bonne santé.

Puis sous la Révolution Culturelle, de 1966 à 1976, plus personne n'osa même pratiquer quelle que forme de Qi Gong que ce soit, car cela passait systématiquement pour contre-révo-lutionnaire. De très nombreux hôpitaux furent fermés dans les premières années de la Révolution (jusqu'en 1971). Et après leur réouverture, ils furent placés sous la direction de médecins ex-pressément « rouges » et fidèles à la ligne idéologique du Parti.

A la mort de Mao et après l'extermination de la « Bande des 4 », les médecines chinoise et occidentale en Chine se retrouvè-rent comme au pied d'un champ de ruines. Ce n'est qu'en 1978 que le mouvement Qi Gong reprit lentement quelque vigueur.

---

7. Chen Man-Ching : « Dreizehn Kapital zu Tai Chi Chuan », [« Treize chapitres pour le Tai Chi Chuan »]. Sphinx Editeur, Bâles, 1986, p. 45.

Quelques-uns des Maîtres Qi Gong qui avaient survécu refirent surface. A Shanghai et à Beijing, des centres de recherche pour le Qi Gong furent aménagés.

Le pays se relevait lentement des souffrances de la Révolution et chacun se rappela quelques-unes des valeurs anciennes, qui avaient de longue date fait leurs preuves, comme la médecine traditionelle chinoise, l'acupuncture et les mouvements et exercices respiratoires tels le Qi Gong. La Chine vivait alors la renaissance d'un art très ancien. On peut même aller jusqu'à parler d'une révolution silencieuse en faveur du Qi Gong, car l'engouement pour cet art vieux de 3000 ans atteint des proportions inouïes.

Sans compter les instituts et centres de recherche de Qi Gong mis en place par l'état lui même, il y eut d'innombrables groupes de pratiquants qui se formèrent ces huit dernières années sous la houlette d'autodidactes. La plupart d'entre eux sont venus à la pratique Qi Gong à cause d'une maladie et ont essayé après guérison de transmettre leur expérience à des malades.

Même si ce fut avec prudence et réserve, on vit aussi ressurgir un peut partout des guérisseurs rituels et spirituels, en particulier dans les provinces de Fujian et de Shandong, patries traditionnelles du Chamanisme en Chine (avec le Tibet).

Dans l'actuelle République Populaire de Chine, plusieurs millions de Chinois pratiquent quotidiennement l'une ou l'autre des différentes formes de Qi Gong. Le groupe qui pratique le « Vol de la Grue » constitue le groupe le plus important avec à lui seul quelque 10 millions de disciples. Cette forme de Qi Gong s'est entre-temps répandue dans toute la Chine et à travers le monde dans une quarantaine de pays différents.

Le fondateur de ce Qi Gong est le Dr Zhao Jin Xiang, un homme dans la cinquantaine, modeste et presque timide, qui a appris le Qi Gong alors qu'il souffrait d'une très grave maladie.

C'est sur la base de sa propre expérience et de celles d'autres malades qu'il a mis au point cette nouvelle méthode qui peut déjà s'enorgueillir de succès tout à fait convaincants en Chine.

Ce serait merveilleux si l'enthousiasme pour la nouveauté et l'euphorie de départ pouvaient dans nos pays aussi se muer en un sentiment d'absolue nécessité, quotidiennement intégrée et renforcée. Le Qi Gong passerait alors de son statut de « bizarrerie alternative », à celui de nourriture intérieure nécessaire, partie de notre existence et de notre être même.

Chapitre 3

LA GRUE
DANS LA MYTHOLOGIE
ET L'HISTOIRE DE L'EXTREME-ORIENT

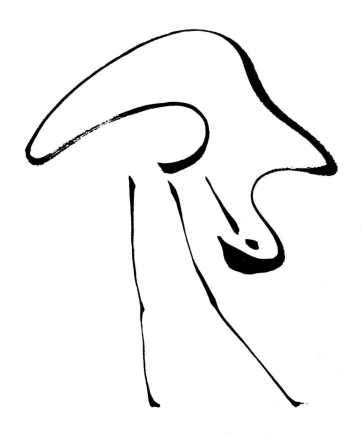

« Léger comme une grue,
le voyez-vous
là-bas, perché sur le roc ? »

Petra Hinterthür

1. Un symbole

La grue est symbole de longévité et de bonheur en Chine, en Corée et au Japon. Cet animal est, après Phénix le légendaire, l'oiseau le plus vénéré dans la mythologie extrême-orientale, dans la poésie, dans la peinture et dans la tradition populaire.

La grue est volontiers représentée comme un compagnon de route des huit Immortels taoïstes, sur lequel le dieu de l'Immortalité vient s'appuyer pour voler de place en place. On attribue des pouvoirs magiques à cet oiseau. On dit qu'à l'âge de 600 ans il ne se nourrirait plus que d'eau, à l'âge de 2000 ans son corps et son plumage se coloreraient de noir, et qu'il deviendrait alors immortel et sage.

La grue est un symbole de longue vie, comme le sont avec elle le soleil, les nuages, les rochers, l'eau, le cerf, la tortue, le pin, les bambous, le champignon Fungus et la pêche. Dans bien des maisons chinoises on peut voir des objets sur lesquels est représenté l'emblème de la grue, associé à l'un ou à l'autre de ces différents symboles d'immortalité. Souvent avec l'image de la grue se trouve également exprimé quelque vœu de longue vie, mais aussi vœu de succés, vœu de réussite professionnelle, vœu d'honneur et de stabilité. ...

Au Japon c'est ce symbole de la grue que l'on continue de préférer pour l'ornementation des Kimonos nuptiaux et des cadeaux de mariage. Les grues sont monogames et elles s'épousent pour la vie. Ces oiseaux sont donc perçus comme de bons présages pour la fidélité conjugale, pour un amour profond et un bonheur durable.

De plus, les grues femelles ont la réputation d'être des mères attentives et diligentes, et d'entretenir de très bonnes relations avec leurs petits.

La Corée avait de la même façon assimilé l'héritage de la pensée sino-taoïste et elle l'avait intégré dans sa propre culture. C'est ainsi que le symbole de la grue devint un élément de décoration des fameux Celadon sous la dynastie Koryo, dont l'inspiration créatrice fut à son apogée vers la fin du XIIème siècle. Les potiers en céramique coréens créèrent alors l'émail céladon qui surpassa encore en beauté le Céladon chinois le plus apprécié, qui date de la dynastie Song du Nord (960-1120 après J.C.), période d'or de cet art de la céramique chinoise.

Il est bien possible que la représentation de la grue volant parmi les nuages ait exprimé différentes choses, tel un certain sentiment de plénitude et de supériorité aristocratique que pouvait éprouver la classe dirigeante, celle qui passait commande aux potiers. Ou bien, peut-être a-t-on voulu formuler là des vœux pour une vie longue et prospère, créative et fertile.

Peut-être aussi, y a-t-il dans ces céramiques si extraordinairement belles et dont le décor évoque le ciel d'automne coréen, un sens philosophique et poétique qui induirait une certaine vacuité de l'esprit de celui qui contemple le céladon et la possibilité pour lui d'atteindre au « Néant »[1].

2. L'Animal

La grue a des mouvements à la fois calmes et puissants, élégants et dynamiques, paisibles, légers et naturels. Son port est majestueux, gracieux, agréable. La dynamique de ses mouvements pleins de force et de souplesse donne une impression d'apesanteur et de silence. Cet échassier aime la danse, le mouvement, le jeu, les battements d'ailes.

Grâce à ses cordes vocales puissantes, longues et vibrantes, la grue peut chanter de façon très mélodieuse. Elle pourrait nous être à chacun un idéal et un modèle, tant la grâce et la beauté font de ses déplacements une danse fluide, admirable. Il s'en dégage à la fois une sérénité et une puissance de concentration uniques.

En Orient les populations ont donc intégré la grue dans leur patrimoine. Encore aujourd'hui lors de festivités, on peut les entendre s'adresser mutuellement le vœu suivant : « Que la vie te soit aussi longue et heureuse que celle d'une grue ! »

En Occident ce n'est qu'en 1976, lors de sa découverte par le savant allemand P.L.S. Müller (au Japon), que l'on apprit l'existence de la grue « à la couronne rouge ». Ce savant la nomma

---

1. Chewon Kim und Won-Yong Kim, The Arts of Korea, Thames and Hudson, 1966, p. 67.

« Ardea Grus Japonensis »[2]. Et pourtant c'est dans la province de Heilongjiang au nord de la Chine que se trouve le pays d'origine de cette grue couronnée. On peut aussi l'apercevoir en Sibérie et en Corée.

Par-delà la symbolique du bonheur, les Chinois attribuent aussi à la grue des propriétés médicales et curatives. D'après un texte chinois bien connu, Materia Medica, qui date de la dynastie des Ming (1366-1644 après J.C.), le sang de la grue pourrait activer et bonifier le Qi humain. Il permettrait aussi d'éviter les conséquences néfastes de refroidissements et il pourrait protéger les poumons. La cervelle de la grue améliorerait la vue de l'être humain, et ses os auraient un effet tonique[3].

---

2. « The Red Crowned Crane », China Pictoral Press, Beijing/Chine, 1983, p. 27.
3. *Op. cit.*, p. 29.

Chapitre 4

LES 12 MERIDIENS,
LES 8 VOIES ANNEXES DE L'ÉNERGIE
ET LEURS CENTRES D'ENERGIE

Voies-
fluides dans l'espace,
elles sont
l'espace.

Astrid Schillings

Le Qi circule dans le corps en suivant ses propres voies d'énergie, appelées méridiens. Le concept de méridien est difficile à expliquer car le circuit des méridiens n'est pas visible comme peut l'être l'appareil circulatoire du sang par exemple, ou celui de l'influx nerveux.

Déjà dans le Huangdi Neijing, il était fait mention des méridiens. Ceux-ci parcourent tout le corps, comme un réseau dense, et pourvoient à son approvisionnement en énergie de vie.

A la naissance, ces méridiens sont en général parfaitement perméables et le Qi peut circuler sans gêne à travers tout le réseau. Au cours des années, il peut arriver que, lentement, ces méridiens se bloquent sous l'effet conjugué de causes externes ou internes, comme par exemple une blessure, une intervention chirurgicale, ou une trop longue souffrance psychologique. La perméabilité du réseau diminue alors, et le flux de Qi se bloque.

Il existe 12 méridiens réguliers ou « ordinaires », correspondant à 12 organes, et 8 voies d'énergie annexes, qui fonctionnent indépendamment des organes. Celles-ci ont la propriété de rétablir l'équilibre du Qi dans les 12 méridiens principaux si nécessaire. Si par exemple il y a là trop peu de Qi, de l'énergie va être « pompée » depuis les voies d'énergie supérieures annexes. S'il y a trop d'énergie dans le système principal, ce trop-plein sera absorbé par les 8 voies annexes. Ce mécanisme de contrebalancier n'est possible qu'un certain temps. Si le besoin en Qi persiste, des faiblesses corporelles s'installent peu à peu, la peau devient sèche et des symptômes, avec fièvre et sensation de froid apparaissent.

Par contre, un organisme sain qui jouit d'un bon équilibre en Qi, « déborde » de santé : le corps est robuste, les tissus conjonctifs fermes, la peau un peu humide et la température légèrement plus élevée.

Dans le Qi Gong du Vol de la Grue, il y a encore une autre voie énergétique considérée comme de toute première importance : c'est le Zhongmai. D'autre part il existe 14 autres voies

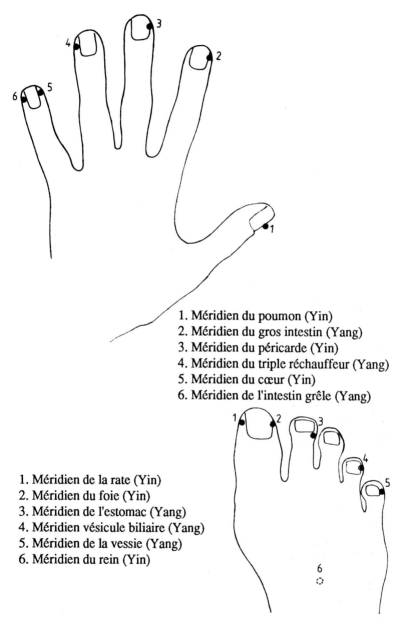

1. Méridien du poumon (Yin)
2. Méridien du gros intestin (Yang)
3. Méridien du péricarde (Yin)
4. Méridien du triple réchauffeur (Yang)
5. Méridien du cœur (Yin)
6. Méridien de l'intestin grêle (Yang)

1. Méridien de la rate (Yin)
2. Méridien du foie (Yin)
3. Méridien de l'estomac (Yang)
4. Méridien vésicule biliaire (Yang)
5. Méridien de la vessie (Yang)
6. Méridien du rein (Yin)

Illustration 2 : **Méridien du pied**

énergétiques (Luo), qui ne feront l'objet d'aucune étude dans ce livre.

LES 12 MÉRIDIENS PRINCIPAUX

Six de ces méridiens majeurs sont reliés aux six organes creux (le gros intestin, le triple réchauffeur, l'intestin grêle, l'estomac, la vésicule biliaire, et la vessie) ; et les six autres méridiens sont reliés aux six organes « réservoirs » (poumons, foie, rate, cœur, reins et péricarde). On définit ces méridiens par leur expression en éléments Yin et Yang (voir chap.5). Les points d'origine ou de terminaison de ces 12 méridiens se trouvent selon le cas, pour six d'entre eux dans les mains, et pour les six autres dans les pieds (voir illustrations 1 et 2).

L'ensemble des méridiens se trouvent reliés entre eux (comme le sont d'ailleurs toutes les autres voies énergétiques). Ils constituent un réseau d'énergie dense et interdépendant. Voici une présentation succincte de ces méridiens, correspondant au cours du Qi d'un organe à l'autre.

Le méridien du poumon (ill. 3)

Le méridien du poumon (Taiyin de la main) sort du triple réchauffeur moyen et se trouve directement en relation avec le gros intestin, l'estomac et la région du cou.

Son premier point d'acupuncture dans le tissu cellulaire sous-cutané est Zhongfu, et son point d'aboutissement Shaoshang se trouve dans le pouce où il rejoint le méridien du gros intestin.

On ne peut utiliser l'acupuncture chinoise classique qu'en ces deux points, ce sont en effet les seuls où ce méridien se trouve à proximité de la surface de la peau.

En cas d'affaiblissement du méridien du poumon, on pourra observer des refroidissements bénins, des douleurs d'épaule et du dos, une toux, une moiteur des mains, une pression urinale forte sur la vessie, des affections pulmonaires, des rhumes bronchiques, voire même des crachements de sang[1].

---

1. Les symptômes de maladie que l'on peut observer sur l'ensemble des 12 organes sont extraits de : « Chinese-English Terminology of Traditional Chinese Medicine », *op. cit.*, p. 116-126.

Illustration 3 : **Méridien du poumon (Taiyin de la main)**

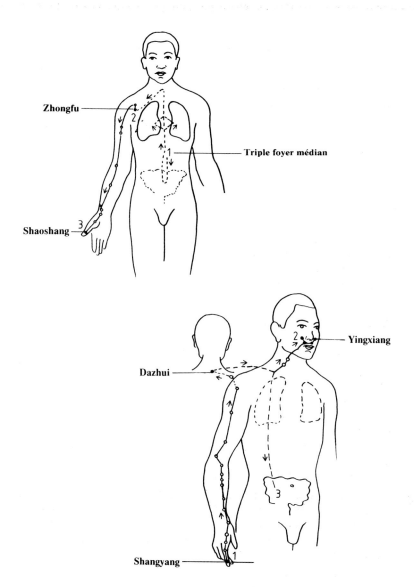

Zhongfu

Triple foyer médian

Shaoshang

Dazhui

Yingxiang

Shangyang

**Illustration 4 : Méridien du gros intestin
(Yangming de la main)**

Illustration 5 : Méridien de l'estomac (Yangming du pied)

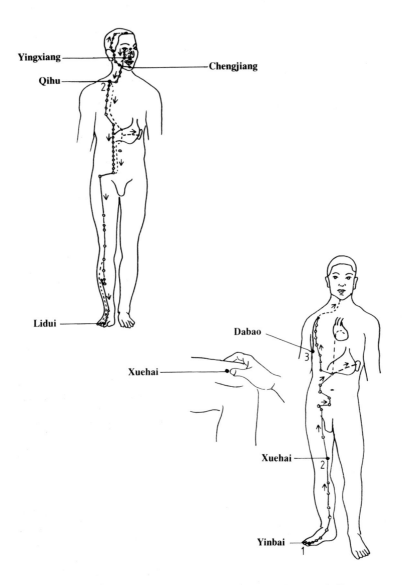

Illustration 6 : Méridien de la rate (Taiyin du pied)

Les poumons sont là pour veiller à ce que l'air fraîchement inspiré (le Qi de l'air) circule à intervalle rythmé à travers tout le corps. Ils approvisionnent l'organisme en oxygène. L'air usé est évacué après échange gazeux dans les poumons. Une bonne respiration, naturelle, profonde et lente, garantit l'organisme contre toute réceptivité trop grande aux maladies, telles celles provoquées par les refroidissements. Si par notre maintien, nous oppressons nos poumons, le rythme respiratoire ne se fait plus aussi bien. La respiration devient alors superficielle et cela peut conduire à la maladie.

le méridien du gros intestin (ill. 4)

Le méridien du gros intestin (Yangming de la main) prend sa naissance au bout de l'index, au point Shangyang. Il passe en remontant au point Dazhui sur la trajectoire d'énergie du Dumai. Le méridien droit et le méridien gauche se croisent au-dessus de la lèvre supérieure et aboutissent de chaque côté du nez au point Yingxiang. Là ce méridien rencontre le méridien de l'estomac. Le gros intestin est en relation d'énergie avec le poumon (voir chap.6).

Un affaiblissement du méridien du gros intestin se traduit par des symptômes comme diarrhée, sensation de froid, tremblements, bouche sèche, nez bouché, enrouements, maux de dents, inflammation des gencives, dysenterie.

Le gros intestin est la continuation de l'intestin grêle dont il reçoit les impuretés. Celles-ci sont ensuite évacuées par l'anus. Au cas où ces matières contiendraient encore quelque énergie utile, c'est au gros intestin que revient la tâche de la restituer au corps.

Le méridien de l'estomac (ill. 5)

Le méridien de l'estomac (Yangming du pied) part de l'aile du nez au point Yingxiang (point où aboutit le méridien du gros intestin). Le Qi circule d'une part vers le haut de la tête jusqu'à l'avant du front et d'autre part vers le point Chengjiang (sur la voie d'énergie Renmai), d'où il rejoint tout en bas le point Lidui, dans le deuxième orteil (à côté du gros orteil). C'est là que le Qi établit la liaison avec le méridien de la rate qui a justement une relation de partenaire avec l'estomac.

Si le méridien de l'estomac ne fonctionne pas bien, des faiblesses apparaissent de même que des lourdeurs d'estomac de toutes sortes, des ballonnements, des difficultés de digestion, les muscles du visage se crispent et ceux du cou font mal.

L'estomac est le réceptacle de la nourriture, dont il élabore la première transformation. Les matières nutritives sont dirigées vers le sang et l'organisme à travers les parois stomacales ; les matières impures vers le bas et l'intestin grêle. Si l'estomac n'effectue pas correctement ses fonctions de distribution et de transport, on pourra observer différents symptômes, comme vomissements, renvois, lourdeurs d'estomac, malaise général et aigreurs.

Le méridien de la rate (ill. 6)

Le méridien de la rate (Taiyin du pied) a son origine au point Yinbai sur l'extrémité externe du gros orteil. Sur sa trajectoire ascendante il passe par Sanyinjiao, carrefour de trois méridiens (celui de la rate, celui du rein et celui du foie). Puis il passe par le point Xuehai (« Lac de sang » — voir chap.9, 3ème série d'exercices) et aboutit dans le deuxième espace intercostal au point Dabao. De là il se dirige sous le tissu cellulaire sous-cutané vers le cœur, où il transmet son énergie au méridien du cœur.

Si le méridien de la rate est affaibli, cela se traduira par une impression de lourdeur physique, une instabilité psychique, des raidissements et des lourdeurs de langue, une irrégularité de règles, des vomissements, des aigreurs, le hoquet, la jaunisse, et l'installation de sentiments négatifs comme par exemple la jalousie.

On attribue à la rate, l'essence même de l'homme. Elle est comparée en Chine au centre, au milieu. Dans sa relation étroite avec l'estomac, il lui incombe la charge de digérer l'ensemble du bol alimentaire et de distribuer les éléments nutritifs. Par là-même, elle assure et régule la circulation sanguine et approvisionne les muscles en éléments nutritifs. Toute personne dont la rate sera affaiblie, mangera sucré, ce qui fatiguera d'autant plus la rate et l'empêchera de mener à bien sa tâche de régulation.Cet organe réagit de façon très sensible à toutes perturbations extérieures. Elles sont pour lui comme un choc, et rendent difficile sa fonction vitale.

Illustration 7 : Méridien du cœur (Shaoyin de la main)

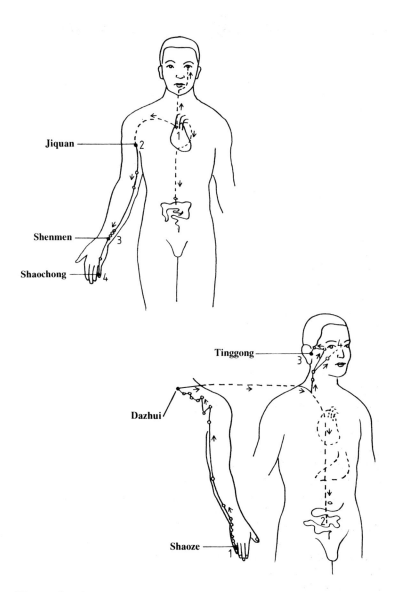

Illustration 8 : Méridien de l'intestin grêle (Taiyang de la main)

Le méridien du coeur (ill. 7)

Le méridien du cœur (Shaoyin de la main) prend sa source au cœur. De là le Qi se répand dans toute la région du cœur et jusqu'à l'intestin grêle, qui est partenaire du cœur en matière d'énergie.

Le Qi suit un autre parcours vers le point Jiquan sous l'aisselle à partir duquel le méridien s'enfonce dans le tissu cellulaire sous-cutané. Il passe le long de la face interne du bras et de l'avant-bras, touche le point du cœur essentiel en acupuncture Shenmen, et se termine sur l'extrémité interne du petit doigt au point Shaochong. C'est là que l'énergie passe au méridien de l'intestin grêle.

Si le méridien du cœur est insuffisamment approvisionné en Qi, le cœur se fatigue, la circulation du sang est perturbée, la gorge se dessèche, une pathologie peut se déclarer du côté de l'intestin grêle.

On connait bien les propriétés physiologiques du cœur et son action directe sur la circulation sanguine. Les Chinois considèrent cet organe comme déterminant pour le développement de la personnalité d'un être humain. C'est le cœur qui octroie à l'individu ses qualités d'être conscient, sa faculté de pensée et de concentration, sa vivacité d'esprit et sa capacité à éprouver des sentiments.

Le cœur est en liaison directe avec le Qi originel, Zhen, et il manifeste sa bonne ou sa mauvaise santé en fonction de son état de « plénitude » : c'est-à-dire soit par une façon spontanée et enthousiaste de prendre la vie et un psychisme sain, soit par une somatisation de sentiments négatifs.

Ces derniers se traduisent par un comportement hésitant, inconstant, incontrôlé, colérique et imprévisible.

Le méridien de l'intestin grêle (ill. 8)

Le méridien de l'intestin grêle (Taiyang de la main) prend racine à l'extrémité interne de l'ongle du petit doigt, au point Shaozeu, il se dirige en remontant vers le coude jusqu'au Dazhui (voie d'énergie Dumai). Il continue sa trajectoire vers le cou, la mâchoire inférieure, le coin externe de l'œil, et l'oreille, jusqu'au point Tinggong. C'est là que l'énergie va déverser son flux dans le méridien de la vessie.

Si le méridien de l'intestin grêle est affaibli, on observera des symptômes tels que la surdité, un gonflement des joues, des perturbations dans le fonctionnement de l'estomac, de l'intestin grêle et du cœur. Peuvent également survenir des effets pathologiques, tels dépression, psychoses, parkinsonisme, épylepsie[2].

La fonction de l'intestin grêle est de prendre en charge les aliments déjà transformés par l'estomac. Il continue de les broyer et effectue leur séparation en matière liquide et matière solide. Puis s'effectue l'absorption de ces matières à travers la paroi intestinale, et les matières résiduelles sont transmises au gros intestin.

Le méridien de la vessie (ill. 9)

Le méridien de la vessie (Taiyang du pied) démarre au point Jingming, au coin interne de l'œil. Puis le Qi circule sur le front, emprunte la trajectoire du Dumai jusqu'au cou, où les méridiens droit et gauche se séparent en deux trajectoires de chaque côté de la colonne vertébrale, et poursuivent parallèlement jusqu'à l'articulation du genou. C'est là que le dédoublement du méridien se termine et il poursuit une trajectoire unique jusqu'au point Zhiyin, à l'extrémité externe du petit orteil. L'énergie se transmet là au méridien des reins.

Si le méridien de la vessie est perturbé, on observera un affaiblissement de l'organisme qui se traduira par une fréquence urinaire anormale, des hémorroïdes, des saignements, des rhumatismes, des maux de tête, des crampes, la malaria éventuellement, des manies, des douleurs entre les omoplates et des perturbations métaboliques.

La vessie emmagasine temporairement les eaux corporelles, avant de les évacuer sous forme d'urine.

Le méridien du rein (ill. 10)

Le méridien du rein (Shaoyin du pied) a son origine à la plante du pied, au point Yongquan. Il passe le long de la face interne de la jambe et se dirige vers la zone de la vessie et des reins, puis il poursuit par le nombril et le buste jusqu'au point Shufu. Une trajectoire secondaire de ce méridien va des reins au foie jusqu'à

---

2. Palos Stephan : « Chinesiche Heilkunst, [« La Thérapie Chinoise »], O.W. Barth Éditeur, 1984, p. 84.

Illustration 9 : **Méridien de la vessie (Taiyang du pied)**

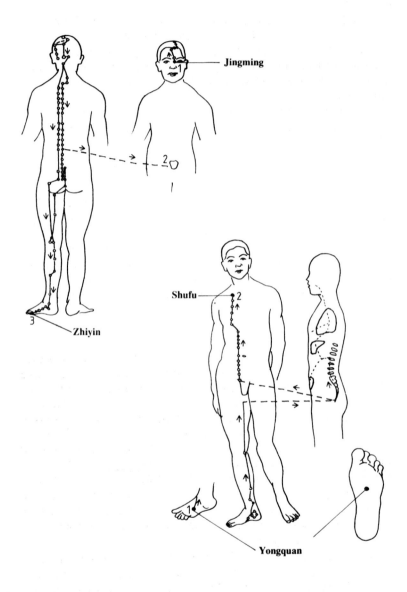

Illustration 10 : **Méridien du rein (Shaoyin du pied)**

langue. Et une autre branche circule encore dans la poitrine, du poumon au cœur, là où l'énergie va pouvoir rejoindre le méridien du péricarde.

Les déficiences du méridien du rein peuvent se révéler par des diarrhées, un manque d'entrain, des faiblesses circulatoires, la langue sèche, un manque d'appétit, un amaigrissement, des douleurs de poitrine, une certaine pâleur, des perturbations de l'acuité visuelle, les mains et les pieds froids, la stérilité, le délire, la léthargie.

Les reins ont une influence sur la personnalité, les facultés d'apprentissage et de concentration, les facultés sexuelles et génésiques.

Le rein est un organe extrêmement important de l'organisme. C'est dans les reins qu'est stockée « l'énergie des reins », qui se compose on l'a vu, du Qi originel embryonnal, et aussi en partie de Qi acquis. D'autre part les reins sont le siège de l'énergie sexuelle. Ils sont aussi source d'énergie pour l'ossature, la formation de la moëlle et la croissance. Une personne qui a les reins en bonne santé aura des mouvements dynamiques, vifs et légers ; de la souplesse. Celui dont les reins sont malades ou affaiblis, éprouvera des douleurs dans les articulations, des angoisses, des insomnies et une certaine difficulté à vivre au quotidien.

Le méridien du péricarde (ill. 11)

Le méridien du péricarde (Jueyin de la main) prend naissance dans la cage thoracique. De là il se dirige d'une part dans le triple réchauffeur supérieur, moyen et inférieur, d'autre part vers l'aisselle. Du point Tianchi il passe entre les méridiens du poumon et celui du cœur, le long de la face interne du bras jusqu'au point Zhongchong, à l'angle interne de l'ongle du majeur. Au point d'énergie Laogong, à l'intérieur de la paume de la main, il se trouve une petite ramification qui va jusqu'à l'annulaire, où l'énergie peut être transmise au méridien du triple réchauffeur.

Il existe un partenariat étroit d'énergie entre les reins et le péricarde. Si l'activité du méridien du péricarde est insuffisante, on observera des ennuis telles que palpitations, névroses, yeux rouges et douleurs cardiaques.

Le péricarde enveloppe le cœur comme un nid protecteur : il aurait à le garder des assauts trop agressifs de nos émotions. C'est de lui que proviendraient toutefois les sentiments forts comme la joie et le désir.

Illustration 11 : **Méridien du péricarde (Juejin de la main)**

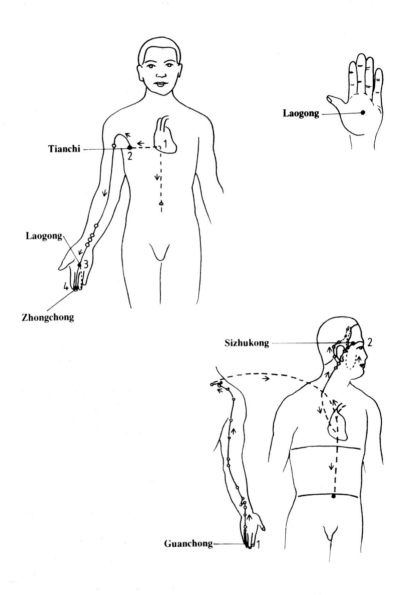

Laogong

Tianchi

Laogong

Zhongchong

Sizhukong

Guanchong

Illustration 12 : **Méridien du triple réchauffeur
(Shaoyang de la main)**

Le méridien du triple réchauffeur (ill. 12)

Le concept chinois de « triple réchauffeur » ou « triple foyer » comprend trois zones du corps. Le triple réchauffeur supérieur se trouve au-dessus du diaphragme. Et il inclut les organes du cœur, du péricarde et des poumons.

Le triple réchauffeur moyen se trouve entre diaphragme et nombril et c'est une entité qui rassemble les organes de l'estomac, de la rate, du pancréas, du foie, de la vésicule biliaire et du duodénum.

Le triple réchauffeur inférieur se situe au-dessous du nombril avec les organes de la digestion et les organes sexuels.

Ce méridien du triple foyer (Shaoyang de la main) démarre au point Guanchong sur le bord externe de l'ongle du petit doigt. De là il remonte au coude et à l'épaule jusqu'à la clavicule. Puis il passe près de l'oreille et se termine à l'extrémité externe du sourcil, au point Sizhukong. C'est là qu'il est relié au méridien de la vésicule biliaire.

Une ramification pénètre jusqu'au péricarde, et traverse le triple foyer supérieur, moyen et inférieur.

Si le méridien du triple réchauffeur est affaibli, cela conduit à des difficultés d'audition, des infections des voies respiratoires, des douleurs oculaires, un enflement du visage, une exsudation exagérée, des difficultés digestives, et des courbatures de toutes sortes.

Le triple réchauffeur est en occident un concept parfaitement inconnu et par-là difficile à comprendre. Ce méridien n'est pas seulement en relation avec un organe, mais avec un ensemble de trois zones distinctes. Il a entre autres fonctions celle de protéger la bonne santé des organes de ces trois zones.

Le méridien de la vésicule biliaire (ill. 13)

Le méridien de la vésicule biliaire (Shaoyang du pied) démarre au point Tongziliao, au coin de l'œil. Sa trajectoire est assez complexe dans la zone de l'oreille, des tempes, du front, du crâne. Puis il longe le cou vers l'épaule, traverse la poitrine, la vésicule biliaire et le bassin pour descendre le long de la face externe de la jambe et aboutir au 4ème orteil (à côté du petit orteil). Il se termine là au point Qiaoyin, où le Qi sera de nouveau absorbé par le méridien du foie.

Illustration 13 : **Méridien de la vésicule biliaire (Shaoyang du pied)**

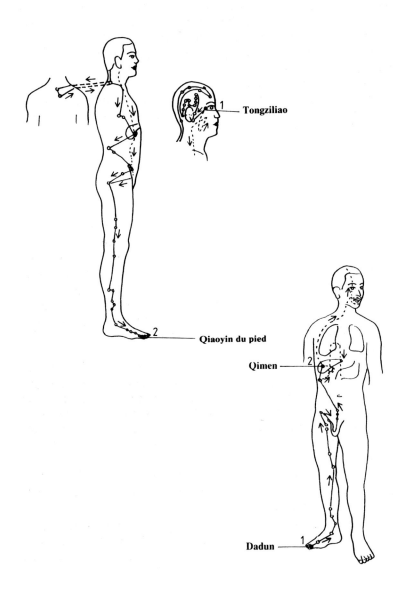

Tongziliao

Qiaoyin du pied

Qimen

Dadun

Illustration 14 : **Méridien du foie (Yueyin du pied)**

Si le méridien de la vésicule biliaire est perturbé, on observera des symptômes comme des maux de tête et d'yeux, amertume dans la bouche, hypertrophie de la tyroïde, douleurs dans la région des épaules ou du thorax, perturbations des organes des sens, et fragilité du système lymphatique.

La vésicule biliaire entretient une relation étroite et complémentaire avec l'estomac et elle réagit de la même façon que lui. A l'aide de la bile elle arrive à absorber la colère et le stress — jusqu'à un certain point — et elle canalise et dilue les énergies négatives. Si la tension monte, la personne va « cracher sa rage et sa bile ». Elle peut alors devenir ce qu'on appelle une personne « atrabiliaire ».

Le méridien du foie (ill. 14)

Le méridien du foie (Jueyin du pied) commence sa trajectoire au point Dadun, à l'extrémité interne du gros orteil. Il passe le long de la face interne de la jambe, de l'aine, des organes génitaux externes, il traverse la vessie, va au foie, qui lui-même est relié à la vésicule biliaire. Il aboutit au point Qimen dans le foie.

De là, part une trajectoire secondaire qui va à la tête, fait le tour de la bouche et aboutit dans la région de l'œil. Une autre ramification traverse le poumon, où l'énergie va être transmise au méridien du poumon. Et c'est ainsi qu'est bouclé le circuit des douze méridiens principaux.

Un méridien du foie défectueux va occasionner de nombreux troubles, entre autres des lumbagos, des manifestations de fatigue végétative, une bouche et une gorge sèches, une pâleur, le hoquet, un sentiment d'oppression de la poitrine, une pression sur le diaphragme, des règles irrégulières, des difficultés digestives, des allergies, une irritabilité, des diarrhées, une fréquence et une irrégularité dans les urines.

Le foie réagit directement aux émotions, telles l'insatisfaction, la colère, la fureur ; il réagit aux tracasseries et aux crispations ainsi qu'aux situations de stress.

Comme cet organe a un rôle de régulation et de stockage du sang et de l'énergie, sa fonction est primordiale dans la structure complexe de l'organisme (voir aussi chap. 13 : les exercices du foie).

LE 8 VOIES ANNEXES DE L'ENERGIE (MAI)

Ces huit méridiens spécifiques n'ont pas, comme je l'ai déjà dit, de relations directes avec les organes. Ils servent de régulateurs aux 12 méridiens principaux. On peut les comparer à des lacs, qui seraient reliés entre eux par un système de canaux et d'écluses. Dans le cas où il y a trop d'eau (de Qi) dans les méridiens principaux, celle-ci va pouvoir s'écouler par ces canaux vers les méridiens annexes, qui auparavant auront régulé le système des écluses. Si au contraire il y a défaut de Qi dans les 12 méridiens principaux, les méridiens spécifiques vont libérer du Qi de leur réservoir.

Parmi ces 8 voies annexes, les deux premiers méridiens, le Dumai et le Renmai, sont considérés comme les plus importants et il arrive qu'on les classe parmi les méridiens principaux.

Dumai (ill. 15)

Le Dumai est un méridien Yang. Il prend son origine au périnée au point Huiyin et il circule en remontant à travers la moëlle épinière dans la colonne vertébrale. Sur son trajet, il passe par des points importants comme Mingmen, Dazhui, Yamen, Fengfu et Baihui. De là il poursuit vers le front et redescend jusqu'au-dessus de la lèvre supérieure, au point Renzhon. Il aboutit ensuite dans la bouche au point Yinjiao. Sur cette même trajectoire se situent des points aussi importants que Tianmu (l'œil du ciel) et Yintang (le 3ème œil). Ces points ne sont toutefois pas considérés officiellement comme des points d'acupuncture situés sur le Dumai.

Le Dumai porte aussi le nom de « lac des méridiens Yang », car c'est en lui que s'écoule le Qi des méridiens Yang (méridiens de l'estomac, de la vessie, de la vésicule biliaire, du gros intestin et de l'intestin grêle, du triple foyer, Yangweimai, Yangqiaomai et Dumai).

Un Dumai déficient provoquera des manifestations telles que des pertes de connaissance, la folie, l'hystérie, des raideurs du dos et de la nuque, une descente du rectum, des hémorroïdes, la stérilité, une faiblesse générale[2].

---

2. Les symptômes de maladie que l'on peut observer pour l'ensemble des 8 voies annexes d'énergie sont extraits de : « Chinese-English Terminology of Traditional Chinese Medecine », op. cit. p. 124-127.

Illustration 15 : Dumai

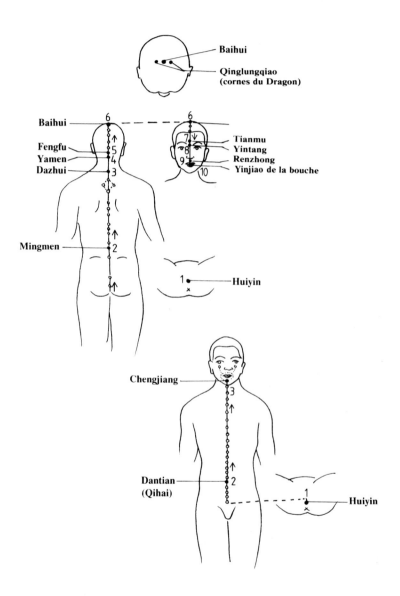

Baihui

Qinglungqiao
(cornes du Dragon)

Baihui

Fengfu
Yamen
Dazhui

Tianmu
Yintang
Renzhong
Yinjiao de la bouche

Mingmen

Huiyin

Chengjiang

Dantian
(Qihai)

Huiyin

Illustration 16 : Renmai

Renmai (ill. 16)

Le Renmai est un méridien Yin. On l'appelle « lac de tous les méridiens Yin » (méridiens du poumon, du cœur, du péricarde, de la rate, du rein, du foie, Renmai, Chongmai, Yinweimai et Yinqiaomai). C'est vers le Renmai que va en effet converger toute l'énergie de ces méridiens Yin. Lui aussi débute sa trajectoire au point Huiyin et il circule vers l'avant à travers la colonne vertébrale, mais en avant du Dumai. Sur sa trajectoire se trouve le Dantian, le bassin de réception de toute énergie, que l'on appelle dans la langue usuelle de l'acupuncture Qihai. C'est au point Chenjiang que l'énergie Yin du Renmai rejoint l'énergie Yang du Dumai.

C'est ainsi que se referme donc ce que l'on appelle le « petit circuit ». Depuis le Chenjiang on contourne ensuite la bouche et on remonte vers les yeux.

Un Renmai affaibli pourra provoquer des symptômes de maladie comme par exemple la leucémie, des douleurs dans la région du bassin ou du thorax, une perte de Qi embryonnal (Qi originel).

Dans l'enseignement taoïste, le Dumai et le Renmai constituent les deux voies de l'énergie les plus importantes. Toutes deux partent du point Huiyin et circulent dans le haut du corps. Si l'on met sa langue sur la gencive supérieure juste derrière les incisives, on peut refermer le circuit. On remarquera que, aussi bien dans les exercices de Qi Gong que dans la méditation taoïste, l'énergie circule alors en remontant le Dumai et en descendant le Renmai. On appelle cela le « petit circuit ». L'ouverture des centres et des points d'énergie qui le constituent a été et reste encore l'objectif de tous les taoïstes. Le dégagement de ces voies de l'énergie est en effet la base sur laquelle est fondée la réussite de tous les exercices taoïstes.

C'est grâce à elles que sera produit le Qi post-embryonnal, qui peut être transformé en Qi spirituel à un certain niveau d'initiation. Chaque méridien et chaque organe est relié à ce « petit circuit ». Le Renmai, féminin, est dominé par le cœur, tandis que le Dumai, masculin, est relié aux reins, c'est-à-dire à l'« essence ». On peut dire encore que la colonne vertébrale représente l'essence et le cœur la fonction[3].

---

3. Cheng, Man-Ching : « Dreizehn Kapitel zu Tai Chi ch' uan », *op. cit.*, (note 7, p. 27).

Illustration 17 : Chongmai

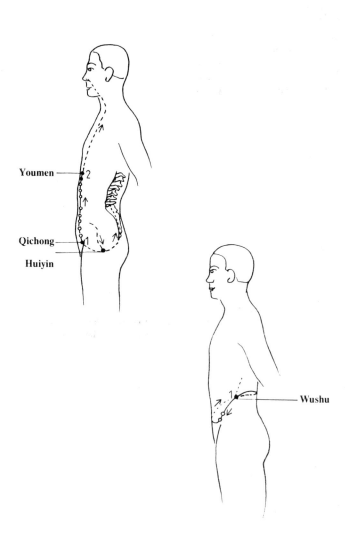

Youmen

Qichong

Huiyin

Wushu

Illustration 18 : Daimai

Chongmai (ill. 17)

Le Chongmai est un méridien spécifique du Yin. Il part de la région inférieure du bassin, circule en allant vers le bas jusqu'au Huiyin. Là il se sépare en trois branches. L'une conduit à la hanche et vers la colonne vertébrale ; l'autre, double, conduit au point Qichong, sur le côté de la région génitale, où elle pénètre sous le tissu inter-cellulaire. Elle remonte ensuite jusqu'au point Youmen. De là elle s'enfonce plus profondément dans les tissus, pour atteindre le cou, contourner la bouche et aboutir de côté, sur l'aile du nez.

Si le Chongmai ne reçoit pas assez de Qi, des ennuis peuvent apparaître, du type douleurs dans l'abdomen, règles irrégulières et stérilité. Dans le cas où Chongmai et Renmai sont affectés tous les deux ensemble, on pourra même craindre des douleurs dans le bas-ventre, la stérilité, les lumbagos. Enfin des saignements de l'utérus pourraient apparaître, avec risques de fausse couche, le cas échéant.

Daimai (ill. 18)

Le méridien spécifique Daimai est Yin. Il entoure la taille comme une ceinture.

Un Daimai affaibli peut causer des troubles telles que ballonnements de l'abdomen, manque de souplesse de la région des hanches, règles anormales, pertes sanguinolentes.

Yangqiaomai (ill. 19)

Ce méridien Yang part de la cheville, du point Shenmai qui se trouve sur le côté externe du pied. Il remonte vers la tête se confondant pour partie avec la trajectoire du méridien de la vessie et avec celle du méridien de la vésicule biliaire, jusqu'au point Fengchi où il a sa terminaison.

Un manque d'énergie du Yangqiaomai peut provoquer l'insomnie, l'engourdissement et des crampes musculaires.

Yinqiaomai (ill. 20)

Ce méridien spécifique qui est donc Yin, part du point interne de la cheville, Zhaohai, remonte et aboutit au point Jingming en haut de l'os du nez, à côté de l'angle interne de l'œil.

Illustration 19 : **Yangqiaomai**

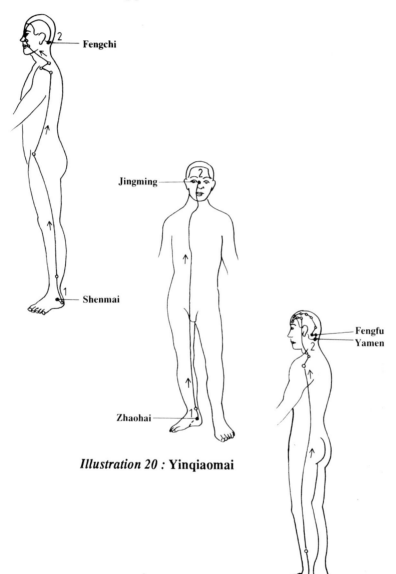

Fengchi

Shenmai

Jingming

Zhaohai

Illustration 20 : **Yinqiaomai**

Fengfu
Yamen

Jinmen

Illustration 21: **Yangweimai**

Illustration 22 : Yinweimai

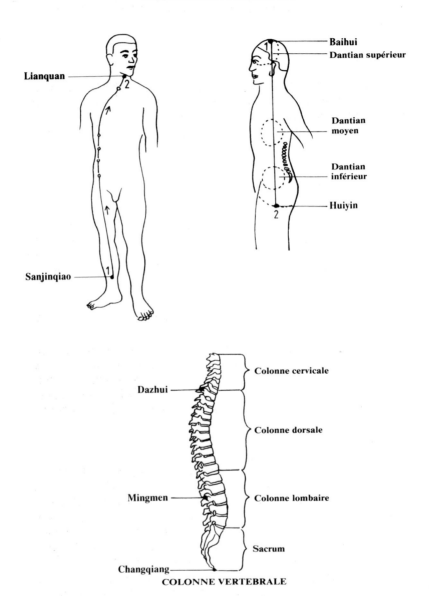

COLONNE VERTEBRALE

Illustration 23 : Zhongmai

Les troubles pathologiques sont semblables à ceux observés avec le Yangqiaomai. On ajoutera en outre un besoin permanent de sommeil.

Yangweimai (ill. 21)

Ce méridien Yang prend sa naissance sur l'extérieur du talon, il circule jusqu'au front, passe par le point Fengfu et aboutit au point Yamen également situé sur le Dumai.

Un mauvais fonctionnement du Yangweimai se traduira par des manifestations de fièvre ou une impression de froid.

Yinweimai (ill. 22)

La dernière des huit voies annexes de l'énergie est un méridien spécifique Yin, qui commence sa course au point Sanjinqiao sur la face interne du mollet. C'est en ce point que se croisent les trois méridiens Yin du pied (celui du foie, de la rate et du rein). Le Yinweimai remonte jusqu'à son extrémité au point Lianquan, situé sur le Renmai.

Lorsque ce méridien ne fonctionne pas bien, on peut observer des troubles comme des douleurs cardiaques ou des lourdeurs dans le bas du ventre.

D'une façon générale on peut dire qu'un affaiblissement ou une lésion qui toucherait l'un des méridiens spécifiques Yin, pourrait provoquer des hémorroïdes et des saignements dans l'abdomen. Un affaiblissement qui concernerait les voies Yang, occasionnerait plutôt des troubles externes dans le haut du corps.

Zhongmai (ill. 23)

Dans le « Vol de la Grue », l'art du Qi Gong met particulièrement l'accent sur un autre méridien annexe : le Zhongmai. Ce méridien Yin démarre au point Baihui, sur le Dumai, et il traverse le corps de part en part jusqu'au point Huiyin, où son énergie est transmise au Dumai. Sur sa trajectoire descendante, au milieu du corps (Zhong), il est en contact avec le Dantian supérieur, le Dantian moyen et le Dantian inférieur.

Le Dantian supérieur se trouve dans la tête, le Dantian moyen dans le thorax, entre les points Qizhong et Shanzhong, et le Dantian inférieur dans l'abdomen entre les points Qizhong et Huiyin, sur le périnée. Ces trois Dantians représentent les bassins de condensation du Qi, des méridiens et des voies annexes de l'énergie.

Lors des exercices du « Vol de la Grue », on se concentre en particulier sur le Dantian inférieur, dans lequel le Qi est rassemblé et accumulé. Il fonctionne comme une pompe d'énergie très forte, qui sans arrêt émettrait de l'énergie (et du sang) à travers tout l'organisme.

Si le Dantian inférieur est plein de Qi, les deux autres Dantians en bénificient également. Ces trois Dantians exercent une influence réciproque les uns sur les autres.

Les Taoïstes ont depuis toujours accordé beaucoup de prix non seulement à la pratique, mais aussi à la théorie. Ils savaient que la connaissance des méridiens, et des fondements de la science de l'acupuncture, ne pouvait qu'accroître la compréhension de son propre corps, des exercices auxquels on le soumet et des causes de ses maladies.

Bien que le système des méridiens puisse sembler très complexe à un occidental, il est certainement utile d'essayer de mieux le comprendre encore, une fois que l'on a abordé les exercices de Qi Gong.

Chapitre 5

LE YIN ET LE YANG, LES CINQ ELEMENTS

Quand le cœur est paisible,
le Yin et le Yang sont en harmonie,
et l'être ne fait plus qu'un
avec les forces du grand Tao.

Maxime taoïste

La science du Yin et du Yang, la force de la féminité et de la virilité, constitue l'une des plus grandes richesses et l'un des plus grands mystères de la médecine chinoise traditionnelle, avec les cinq éléments que l'on appelle aussi les cinq phases de transformation.

Les sages chinois avaient constaté que le grand macrocosme, qui englobe tout l'univers et qui se répartit en Yin et Yang, ne se trouve pas seulement dans le Tout, l'univers, mais qu'il se révèle également dans chaque être humain, en miniature. C'est ce microcosme de l'organisme humain qui préside à la genèse et à l'extinction de la vie, de façon tout-à-fait naturelle. Celui qui prendra conscience de cette loi naturelle — pourtant encore si inaccessible à beaucoup — se rendra compte qu'il vaut mieux s'unir à la nature, plutôt que de la contraindre ou de l'assujettir.

Selon le Yijing (Yi King), ouvrage traditionnel qui jouit d'une grande autorité en Chine, ceci est « la seule voie » qui mène du « Chaos » à « l'Ordre ».En dehors de l'interactivité créative du Yin et du Yang, il n'y aurait ni vie ni harmonie. Les initiés chinois ont associé la notion de Yin à des concepts comme la fémininité, l'eau, l'obscurité, l'abnégation, le froid, la terre, la lune, le mouvement descendant. De même la notion de Yang a été associée aux concepts de masculinité, clarté, force, chaleur, soleil, feu, et mouvement ascendant.

Les anciens départagèrent l'organisme humain suivant des lois qui régissaient pour eux le ciel et la terre, le soleil et la lune. Le corps avec ses organes, ses méridiens, ses aspects interne et externe, ses parties haute et basse, se décompose lui aussi suivant les concepts de Yin et de Yang. Le haut du corps et la tête sont dits Yang, le bas du corps Yin. La gauche est Yang, la droite Yin. Le dos est Yang, le devant Yin. Les os sont Yang, la peau Yin. L'extérieur du corps est Yang, l'intérieur Yin. L'être humain fonctionne comme le messager-miniature de l'Univers, comme un reflet du Grand Univers.

Il y a des méridiens Yin et des méridiens Yang, des organes Yin et des organes Yang (voir chap. 4). Si le Yin et le Yang ne sont plus en harmonie, il adviendra des perturbations, des modifications du corps, et des maladies. Les maladies typiquement Yin sont par exemple, les lourdeurs dans le bassin, une tension faible, la fatigue et la pâleur. Tandis que les états Yang se traduiront par exemple par une tension élevée, des inflammations, une suractivité, une irritabilité.

Si le Yin vient à manquer, il va s'ensuivre un trop-plein de Yang et vice-versa. En cas de trop-plein de Yin, il s'ensuivra une impression de froid dans tout le corps, et en cas de trop-plein de Yang au contraire, une impression de chaleur.

Ce que le chinois définit comme « le feu ou la chaleur dans un organe », serait appelé en Occident une inflammation ou une congestion, par exemple la congestion pulmonaire.

Les besoins de l'être humain sont analogues à ceux de la nature. Aussi vieux que l'histoire de l'humanité, il y a un véritable désir d'harmonie dans l'organisme humain, dans la nature et entre l'être humain et la nature. La notion de Yin et de Yang remonte au Yijing, le « Livre des Transformations », qui aurait été écrit par l'empereur légendaire Fu Xi (environ 2800 ans avant J.C.). D'après la tradition, une autre édition aurait également existée sous la dynastie Xia (2205 à 1122 avant J.C.), et elle aurait commencé par le signe Kun (« ce qui reçoit » — dans le Yi King que nous connaissons actuellement, il est en deuxième position)[1].

Kun est la marque de l'éternel féminin, du réceptif, la mère de toute création. On dit que le tyran Zhou a fait en sorte dans les années 1144 avant J.C. que ce signe féminin Kun soit déplacé au profit du principe masculin Qian (« ce qui est créatif ») et qu'il soit mis en deuxième position dans les combinaisons des Pa Koua[2]. C'est depuis lors que le symbole masculin Qian a donc pris la première place parmi ces hexagrammes. Depuis ce temps-là, cet élément considéré comme Yang, a donc pris de plus en plus d'importance.

---

1. Yi King, Le livre des Transformations, Editions Librairie de Médicis, Paris.
2. Colegrave, Sukie : « Yin und Yang », Fischer Taschenbuch Editeur, Francfort-sur-le-Main, 1984, p. 70.

Les Pa Koua se composent d'un ensemble de signes combinés de façon ordonnée et systématique en 8 trigrammes (un trigramme se compose chaque fois d'un ensemble de 3 lignes). La relation entre deux trigrammes produit un hexagramme (c'est-à-dire un ensemble de 6 lignes) que l'on nomme signe ou symbole. Sur la base de toutes les possibilités combinatoires, on peut obtenir en tout 64 signes.

Dans le texte que nous proposons en illustration ici, c'est à l'édition du Yijing qui date de la dynastie Shang, que fait référence le maître de méditation et de Qi Gong, Wu Hui Xue, de Hong Kong. Dans cet ouvrage, le signe Kun apparaissait encore en première position dans les combinaisons de trigrammes. Je suppose moi-même que ce qu'il appelle ici les « 64 perles de vie » (ou unités d'énergie) ont une relation directe avec les 64 signes des Pa Koua. Voici donc ce qu'il dit :

« A la naissance le corps est encore tout-à-fait souple (mou). Il relève de Kun, l'élément Yin (le réceptacle, la terre), le premier élément du Pa Koua. A la rupture du cordon ombilical, le corps apprend avec la respiration pulmonaire à absorber et à engranger de l'énergie. Une fois que les yeux se seront ouverts, cette énergie sera apportée au cœur (c'est Li ou élément-Feu). De là cette énergie s'écoulera vers les reins (ce sera Kan ou élément-Eau), où elle sera stockée en tant qu'énergie des reins. Kan et Li sont interactifs. Le Qi embryonnal (« énergie originelle ») n'a plus maintenant qu'un rôle passif, alors que le Qi post-embryonnal, acquis (« énergie véritable »), prend le leadership. Dès lors il va accompagner l'être humain tout au long de sa vie, depuis l'enfance jusqu'à l'âge adulte, de l'âge adulte à la maturité, de la vieillesse à la mort.

« Tous les 32 mois, ce sont 64 « perles de vie » nouvelles que le Qi va engendrer. Les 32 premiers mois, c'est une entité d'énergie Yang qui se formera, c'est-à-dire que les 64 premières perles de vie de l'énergie véritable sont assemblées. Dans le système des Pa Koua cela s'appelle Di Lei Fu (« le retour », « le tonnerre de la terre »).

« Jusqu'à 5 ans et 4 mois, se formera la deuxième entité d'énergie Yang avec 64 perles de vie supplémentaires. On l'appellera Di Zhe Lin Koua (« la marche en avant », « le lac et le tonnerre de la terre »).

« Vers la 8ème année débutera la formation de la troisième entité d'énergie Yang avec encore 64 perles de vie supplémentaires. On l'appellera Qi Tai (« la paix a commencé », « le ciel de terre », « la mer du tonnerre »). Quand arrive la dixième année et 8 mois, commence la quatrième entité d'énergie Yang avec 64 autres perles de vie du Qi. C'est Da Zhuan, la grande puissance qui commence et on l'appellera Lei Tian dans le Pa Koua (« le ciel de tonnerre et de mer »).

« A l'âge de 13 ans et 4 mois c'est la maturation de la 5ème entité d'énergie Yang qui commence avec encore 64 perles d'énergie du Qi : Tian Guai, la détermination (« le ciel de mer »).

« A 16 ans l'être humain atteint le stade le plus développé de son énergie Yang avec la 6ème entité, qui s'appellera Qian Tian (« la force créatrice », « le ciel »).

« Avec ces 384 perles de vie du Qi, l'être humain a atteint le plein épanouissement de sa force. La sexualité s'anime, et le désir de réussite, de notoriété, les valeurs matérielles s'affirment. C'est ainsi qu'il entre dans le cercle des désirs à assouvir et des tentations. Sans le savoir il va rompre l'harmonie microcosmique de son organisme. Ce qui fatiguera son cœur et son corps. C'est ainsi que ses espoirs de longévité se verront peu à peu grignoter de façon imperceptible mais continuelle. L'énergie Yang va diminuer, lentement mais sûrement. Sans le savoir, l'être humain est déjà sur le chemin qui le mène de la vie à la mort.

« Quand l'énergie Yang décroît, l'énergie Yin augmente. C'est donc à 24 ans que se formera normalement la première entité d'énergie Yin, c'est-à-dire que l'être humain perdra les premières 64 perles de vie du Qi. Dans le Pa Koua, cela s'appelle Tian Fen Gou (« la rencontre », « la tentation du vent du ciel »).

« A 32 ans en principe apparaîtra la deuxième entité d'énergie Yin. L'être humain perdra de nouveau 64 perles d'énergie Qi. Il réagira alors de façon émotionelle et irrationnelle. Cela s'appelle Tian San Tun (« le retour », « la montagne et le vent du ciel »).

« A 40 ans apparaîtra la 3ème entité d'énergie Yin. Elle se caractérise par une forte demande de puissance et de réussite sociale, et un comportement arbitraire et sans scrupules. L'être humain pert de nouveau 64 perles d'énergie Qi : c'est Tian Di Fu (« la stagnation », « la terre et le ciel », « la montagne et le vent »).

« La 4ème entité Yin apparait dans la 48ème année, alors que l'être humain est toujours en quête de puissance. Mais les reins ne sont plus aussi forts et les cheveux se ternissent peu à peu de gris. De nouveau 64 perles d'énergie Qi vont disparaître. On appelle cela Feng Di Guan (« l'observation », « terre et vent », « terre et montagne »).

« A 56 ans survient la 5ème entité d'énergie avec la perte de 64 autres perles d'énergie Qi. L'être humain s'acharne à posséder et à paraître. Son goût de puissance persiste. Son foie s'affaiblit cependant, ainsi que sa vue, et il perd un peu de ses facultés de mémoire. Ce 5ème Yin est appelé San di Bo (« aggravation », « montagne et terre »).

« Si l'être humain ne parvient pas à plus de discernement, il perdra encore 64 autres perles de Qi à l'âge de 64 ans. C'est cette 6ème entité d'énergie Yin que l'on appelle Kun (Kun Koua, « le réceptacle », « la terre »), comme le premier élément des Pa Koua que l'être humain possède à sa naissance. Ceci est la conséquence d'une vie menée sans discernement ni soin. L'énergie est épuisée. L'être humain pense à la mort. Ses cheveux sont blancs. Sa respiration est courte. Sa peau paraît vieille et fanée ».

Les 6 entités d'énergie Yang

1.   2.   3.   4.   5.   6.

Les 6 entités d'énergie Yin

1.   2.   3.   4.   5.   6.

Bien que je ne sache pas exactement en donner la raison, ce texte m'a beaucoup touchée quand je l'ai lu. Il est pourtant assez rare que dès 64 ans les « 384 perles de vie » de Qi soient épuisées et que l'on meure à cette âge-là. Beaucoup de personnes vivent jusqu'à 70 et 80 ans. Il est probable que plus ou moins inconsciemment ces personnes ont su préserver leur énergie tout au long de leur vie en vivant de façon raisonnable, et peut-être plus consciemment en pratiquant la méditation ou des exercices tels que le Qi Gong, le Tai Ji Quan, le Yoga, ou tout autre entraînement physique personnel. Il y a une énergie originelle en chacun de nous, et il est possible de se recharger en Qi s'il s'avère qu'il y a eu dispersion ou perte d'énergie.

C'est en faisant des exercices quotidiens que l'être humain va ainsi pouvoir lentement récupérer les 2ème, 3ème, 4ème, 5ème ou 6ème entités d'énergie Yang et prolonger ainsi sa durée de vie.

La maladie pourra disparaître, de même que la fatigue et le manque de vitalité. C'est tout l'organisme, avec l'esprit et l'âme, qui vivra un nouveau printemps. Les Anciens chinois ont même pu rapporter des cas, où les cheveux gris ont repris leur couleur initiale et même, à un niveau élevé d'entraînement, des cas où des dents tombées auraient repoussé !

Wu Hui Xue poursuit : « celui qui a pu unir en lui les six énergies Yang retrouvera l'harmonie du Yin et du Yang et son être originel. Celui qui réussit cela, pourra faire chanter le dragon, et sera heureux. Celui qui a calmé son cœur, sera porté haut dans les nuages. Les tigres hurleront, le vent retentira et une grande joie se fera jour. »

Par l'harmonisation du Yin et du Yang, la forme et le corps atteignent la quintessence, la nature primordiale. J'interprète le système d'évolution de Wu Hui Xue comme un équilibrage du Yin, dominant à la naissance, par une poussée du Yang jusqu'à la 6ème année, de telle sorte qu'une harmonisation s'effectue entre Yin et Yang à ce moment-là. Et je suppose qu'alors le Yin et le Yang sont en présence de concert dans le corps.

Pour conclure, on pourrait dire que ce n'est qu'ensemble que le Yin et le Yang, les deux éléments féminin et masculin, forment une entité. Séparément, ils ne sont l'un et l'autre que partie du tout et sans l'autre moitié ils ne peuvent exister. D'autre part il serait dangereux et erroné d'interpréter le Yin comme une notion négative au sens de destructive, et le Yang comme une notion positive. Ce sont les adeptes de Confucius, pour lesquels l'ordre social était dicté par les êtres masculins, qui ont défini et laissé à la postérité les concepts du Yijing et du Su Wen.

Dans leur sagesse, les initiés chinois pensaient que la santé ne dépendait pas seulement de l'équilibre du Yin et du Yang, mais aussi du contrôle et des échanges entre les cinq éléments (le feu, le bois, la terre, le métal et l'eau) et les organes correspondants (le cœur, le foie, l'estomac, les poumons et les reins). « L'âme des cinq plantes », suivant leur expression, fut mentionnée pour la première fois dans le livre des écrits Su Qing qui date de la dynastie Han (206 avant J.C.-220 après J.C.).

Ces cinq éléments peuvent se compléter mais aussi s'influencer négativement les uns les autres. Il est même possible qu'ils se détruisent (voir ill.24). Ce jeu d'échanges que mènent les forces positives et les forces négatives peut être observé non seulement chez l'être humain mais aussi dans la nature.

Sur le schéma 24 on voit de quelle façon ces cinq éléments agissent dans un organisme sain, en se protégeant et en s'apportant mutuellement de l'énergie : le Bois (le foie) nourrit le Feu (le cœur). Du Feu proviennent les cendres qui donnent la Terre (estomac et rate). Dans la Terre se trouvent les Métaux (poumons) qui engendrent l'Eau (les reins). Et de nouveau l'Eau nourrit le Bois (comme par exemple les arbres). C'est ainsi qu'est bouclé le circuit des éléments.

Si un organe n'est pas suffisamment alimenté en Qi, il se créera une autre relation interactive entre les différents organes : par exemple si l'élément-Bois (le foie) est déficitaire en Qi, cela agira négativemment sur l'élément-Terre (estomac, rate). La Terre influencera l'Eau (les reins), elle « recouvrira l'eau ». L'Eau éteindra le Feu (le cœur), qui ne peut donc aider le Métal (poumons) à « fondre ». Le Métal, dur, ne produira pas de Bois (le foie). Et voilà bouclé le circuit négatif !

Dans le cas le plus grave, s'il y a « feu » dans un organe, les échanges entre les organes peuvent agir de façon destructrice. Par exemple si le feu est dans le foie (bois), cela passera aux poumons (métal). Les poumons augmenteront le feu du cœur. Les flammes du cœur engloutiront l'eau des reins. Sans eau, la terre (estomac, rate) se dessèchera, et le bois (foie) ne pourra plus se développer. On peut comparer cet état à une véritable sèche-resse, catastrophique. L'organisme tout entier se dessèche peu à peu. L'énergie ne peut plus s'écouler et elle finit par cesser toute circulation.

Comment peut se produire un trop-plein ou un manque d'énergie dans les organes ? D'abord sous l'action d'un événement extérieur, comme une intervention chirurgicale ou une blessure (accident, morsure, infection). D'autre part, l'un des six éléments climatiques tels que le vent, le froid, la chaleur, l'humidité, la sècheresse ou le feu peuvent en avoir été la cause. L'être humain réagit en effet de façon inconsciente et très sensible aux changements de climat, de saison, et même de temps au quotidien. Les variations de temps brutales, les baisses rapides de température peuvent provoquer une rupture d'équilibre Yin-Yang et entraîner des maladies.

Chaque élément climatique est par ailleurs rattaché à une époque déterminée de l'année (voir tableau page 76).

Il y a encore une autre cause de perte d'énergie, ce sont les émotions humaines, quand elles prennent une importance exagérée. En médecine chinoise elles sont au nombre de 7, ce sont la colère, la joie, le désir, la rancœur, la tristesse, l'anxiété et la peur. Elles agissent en prise directe sur l'un ou l'autre des six organes creux et des cinq organes réservoirs.

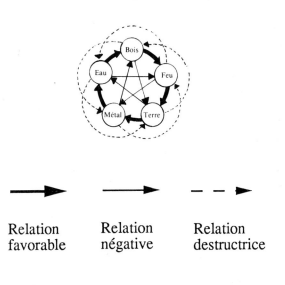

Relation
favorable

Relation
négative

Relation
destructrice

Illustration 24

L'insatisfaction, la colère ou le stress peuvent provoquer par exemple une augmentation de l'énergie du foie, qui, si cela dure trop longtemps, amènera la chaleur ou le « feu ». Là-dessus se greffera une chute d'énergie des poumons.

La joie, la gaieté ou le désir, touchent le cœur. La rancœur et l'agitation influent sur la fonction de l'estomac et de la rate. Des soucis permanents ont une influence grave sur les poumons. La peur fait chuter l'énergie dans les reins.

Les organes agressés par un trop-plein d'énergie équivalent vont également se manifester grâce aux cinq organes sensoriels correspondants : la « porte de sortie » pour le foie et la vésicule biliaire sont les yeux ; celle correspondant au cœur, au triple foyer et à l'intestin grêle est la langue ; celles correspondant à l'estomac et à la rate sont la bouche et les lèvres ; celle correspondant aux poumons et au gros intestin est le nez ; et pour les reins, c'est l'oreille.

DEUXIEME PARTIE

LES EXERCICES

par Petra Hinterthür et Astrid Schillings

Chapitre 6

MOMENTS PRIVILEGIES
POUR LA PRATIQUE DU QI GONG

*Le temps est léger
comme un nuage,
comme un mouvement indéfinissable
dans le silence.*

Petra Hinterthür

Il n'y a pas de règles strictes pour choisir le meilleur moment pour faire les exercices de Qi Gong. On recommande en général aux débutants de pratiquer ces exercices le matin au lever et si possible le soir au coucher. Ce serait bien de pouvoir le faire chaque jour à la même heure, pour que le corps et l'esprit puissent peu à peu se régler sur ce nouveau rythme. Il peut en effet être intéressant de « prendre rendez-vous » avec soi-même, et de prendre véritablement à cœur cet engagement, voire même de le noter sur son agenda.

L'idéal serait de pratiquer les cinq formes de Qi Gong, les cinq enchaînements du « Vol de la Grue » une fois par jour, et d'y adjoindre la 6ème forme, celle induite par le Qi. Les cinq enchaînements prennent environ une demi-heure, et la 6ème forme une autre demi-heure. C'est à ce prix que l'on pourra sentir une amélioration de sa santé. Dans le cas où l'on n'a pas assez de temps, on peut choisir isolément quelques formes d'exercice et quelques enchaînements ou en combiner certains entre eux - comme par exemple les enchaînements 1-3-5 ou 2-4-5, etc. On préviendra ainsi toute réaction unilatérale, préjudiciable.

Il vaut mieux en tout cas renoncer à l'un ou l'autre des enchaînements, plutôt que de faire ces exercices à la va-vite. Il faut en outre toujours exécuter le 5ème enchaînement pour finir, car il combine l'essence même de chacune des autres formes du Qi Gong, et il clôt ainsi de façon harmonieuse l'ensemble des enchaînements

Quand le Qi Gong est employé pour recouvrer la santé, la durée des exercices est fixée suivant les besoins et la forme de chacun. Dans ce cas il est bon d'en discuter avec le ou la professeur de Qi Gong et de déterminer avec lui ou avec elle, le moment et la durée de l'entraînement.

C'est avec la prise de conscience et la responsabilité de chacun vis à vis de sa propre santé qu'augmentera le désir de choisir la bonne méthode de soin. Ce n'est que sur la base d'une telle attention à soi que va pouvoir se développer la confiance dans l'action curative du Qi Gong.

Avant tout exercice on devrait pouvoir prendre un temps de concentration personnelle. En effet, si le ou la pratiquant(e) est tendu(e) ou stressé(e), le Qi Gong n'aura que peu d'effet bénéfique.

Le « Vol de la Grue » n'est pas du tout un entraînement gymnaste, essentiellement extraverti, comme la danse ou le jogging par exemple. C'est au contraire une méthode de respiration, accompagnée de mouvements précis, destinés à l'intériorisation et à la concentration de l'individu sur l'essentiel. Quant à ce fond essentiel, certains l'atteignent avec la guérison d'une maladie organique, d'autres l'atteignent par une sorte d'immersion spirituelle et par la méditation.

Après un premier succès, il arrive souvent que l'on observe des rechutes. Ou bien celles-ci amènent la personne à persévérer dans son travail encore davantage chaque jour, ou bien elles lui font tout abandonner, découragée. Il est sûrement plus commode d'avaler des médicaments pour neutraliser des symptômes gênants ou une maladie, plutôt que d'essayer de saisir le mal à la racine et de l'éliminer une fois pour toutes.

Ce que l'on a fait subir et endurer à son corps, à son esprit et à son âme, quelquefois des années durant, ne s'efface pas en une minute, bien sûr.

En débutant le Qi Gong, il faudrait aussi commencer à s'accepter dans son intégralité, en tant qu'être humain à part entière. Il faudrait commencer à agir avec soi avec la plus grande tendresse. Le sourire intérieur agit comme une caresse sur les nerfs, sur le cœur, sur les muscles et sur le système circulatoire.

A côté de ces recommandations d'ordre général, on notera, suivant la tradition chinoise, quelques indications tout-à-fait concrètes sur le temps à choisir pour cet entraînement.

Il y a déjà des milliers d'années que les Chinois ont décrit la circulation du Qi au cours de la journée, à travers tout le réseau que forment entre eux l'ensemble des douze méridiens. Cette circulation du Qi correspond à la circonvolution de la terre, qui tourne sur son axe en 24 heures, d'Ouest en Est. De là les phénomènes du jour et de la nuit sur terre : le rythme de l'écoulement du Qi épouse ce même rythme.

De plus la tradition précise que le Qi animerait de façon particulièrement intensive chaque méridien à tour de rôle, au rythme d'un méridien toutes les deux heures. Aux 12 périodes de la journée correspondraient donc 12 signes, 12 organes, et 12 saisons. Ces 12 unités sont appelées les « 12 rameaux terrestres ».

On dit que le meilleur moment pour s'entraîner est le Zi, période entre 23 heures et 1 heure du matin (le méridien de la vésicule biliaire) et le Wu, période entre 11 heures et 13 heures (méridien du cœur). Sur la durée de ces deux périodes le Yin et le Yang sont actifs à égalité, jusqu'à ce que se soit accompli le changement de la période Yin (de 13 heures à 23 heures) à la période Yang (de 1 heure à 11 heures), et vice-versa.

Voici donc en détail la suite des méridiens dans lesquels le Qi circule de façon particulièrement intensive pendant des périodes données de la journée, que nous précisons avec les saisons chinoises correspondantes : **Tableau 1**

12 Rameaux	Périodes	Méridiens	saisons
ZI	23-1 H	Vésicule biliaire	Milieu de l'hiver
Chou	1-3 H	Foie	Fin de l'hiver
Yin	3-5 H	Poumons	Début du printemps
Mao	5-7 H	Gros intestin	Milieu du printemps
Chen	7-9 H	Estomac	Fin du printemps
Si	9-11 H	Rate	Début de l'été
Wu	11-13 H	Cœur	Milieu de l'été
Wei	13-15 H	Intestin grêle	Fin de l'été
Shen	15-17 H	Vessie	début de l'automne
Yu	17-19 H	Reins	Milieu de l'automne
Xu	19-21 H	Péricarde/circulation du sang	Fin de l'automne
Hai	21-23 H	Triple foyer (triple réchauffeur)	Début de l'hiver

C'est ainsi que le circuit se boucle, et repart de façon identique depuis le début. Il s'agit donc d'une circulation sans début ni fin. L'énergie s'écoule sans arrêt et elle nourrit les méridiens. Chaque méridien Yin entretient une relation partenariale avec un méridien Yang (voir le tableau 2). Le Qi s'écoule par exemple du méridien de la vésicule biliaire Yang, dans le méridien du foie Yin. Si l'on veut renforcer ce domaine, il sera recommandé de faire les exercices de Qi Gong entre 23 heures et 3 heures du matin.

Une personne qui aurait des problèmes de reins ou de vésicule tirera le plus d'avantages de la pratique du Qi Gong si elle fait les exercices entre 15 heures et 19 heures. C'est en effet à cette période-là de la journée que le Qi circule avec le plus de puissance dans les méridiens correspondants : **Tableau 2**

Les méridiens marient leur énergie en partenaire, et ils se rencontrent :

---

1. Méridiens des poumons et du gros intestin,	dans les mains
2. Méridiens de l'estomac et de la rate,	dans les pieds
3. Méridiens du cœur et de l'intestin grêle,	dans les mains
4. Méridiens de la vessie et des reins,	dans les pieds
5. Méridiens du péricarde et du triple foyer,	dans les mains
6. Méridiens de la vésicule bilaire et du foie,	dans les pieds

---

L'énergie s'écoule de l'organe Yin à l'organe Yang et elle passe ensuite d'un organe Yang à un Yin :

(Yin ➡ Yang) ➡ (Yang ➡ Yin) ➡ (Yin ➡ Yang).

Les organes sont classés en 6 organes Yin « pleins » (les poumons, le foie, la rate, le cœur, les reins et le péricarde) et 6 organes Yang « creux » (le gros intestin, l'intestin grêle, la vési-

cule biliaire, la vessie, le triple foyer et l'estomac). Par conséquent si un méridien Yang est bloqué, cela va directement affec-
ter le méridien Yin correspondant.On comprend dès lors
comment tout l'organisme est en fin de compte solidaire.

Chapitre 7

QUELQUES PRÉCAUTIONS

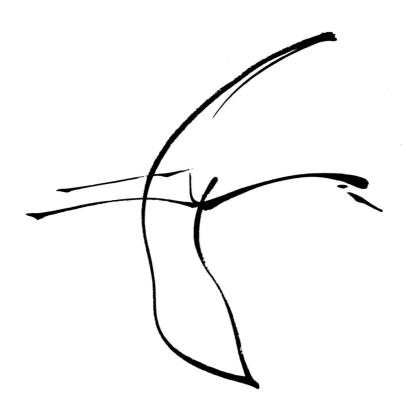

*Retourne à la source
et trouve le silence !
Voilà le chemin de la nature.*

Lao Tseu — Tao-Te-King

Avant de commencer l'apprentissage du Qi Gong, il serait bon que tu comprennes bien le sens de cet entraînement. Ce ne sont ni la seule curiosité, ni même l'attrait diffus de la nouveauté qui pourront conduire au succès de la méthode. Seule une profonde motivation pourra soutenir un entraînement suivi et conduire à l'harmonisation du corps, de l'esprit et de l'âme. Le Qi Gong agit tout d'abord comme mouvement qui stimule l'énergie et améliore la santé, tout en éveillant la respiration naturelle. Plus tard il peut se muer en exercice de concentration et de méditation.

Côté pratique : on ne saurait trop conseiller de se ménager un lieu d'entraînement bien choisi. L'idéal serait un endroit en plein air, protégé du vent et planté d'arbres. Si cela n'est pas possible, il te faudra choisir un espace tranquille et bien aéré, où tu ne seras pas dérangé. Il ne faut pas que tu sois importuné, interrompu, voire effrayé par quiconque, personnes, animaux, téléphone...). Si les personnes avec lesquelles tu vis considèrent ton entraînement avec bienveillance, leur présence ne gêne pas. Sinon il sera préférable pour toi de t'entraîner seul dans une pièce à part.

La pièce doit être suffisamment grande et chauffée, de façon à ce que tu te sentes bien.

Une autre recommandation élémentaire concerne la possibilité avant tout entraînement, de te décontracter et de te concentrer. Les exercices ne seront en effet efficaces que si dans une certaine mesure tu te trouves dans un état d'esprit harmonieux.

Porte des vêtements amples, des chaussures confortables et plates, ou des chaussettes. Tu peux aussi te mettre pieds nus. Enlève toute ceinture, montre, bijoux, lunettes ou autre objet.

Il est recommandé aussi de libérer la vessie avant de commencer, pour ne pas avoir à interrompre les exercices.

On ne peut bien faire le Qi Gong ni l'estomac plein, ni l'estomac vide. Bois donc une tasse de thé et mange une biscotte ou une tranche de cake auparavant. En cela, cette forme de Qi Gong se distingue notablement de la plupart des autres formes d'entraînement.

Quand tu pratiques le Qi Gong, il ne faut pas que tu fixes ton attention sur quelque chose de particulier. Travaille de façon décontractée et n'essaie pas de forcer la montée de l'énergie pour obtenir un résultat plus rapide, que ce soit une guérison, ou une inspiration d'ordre spirituel. Si tu le fais, tu pourrais ressentir des effets secondaires désagréables comme des maux de tête, une sensation de vertige, la perte d'équilibre ou un malaise général.

En règle générale de telles réactions se corrigent facilement, si tu réfléchis un peu à ta façon de faire et si tu reviens à une attitude moins crispée, plus décontractée. Moins tu penseras au Qi, et au fait qu'il circule ou non en toi, plus vite tu sentiras son flux chaud et l'énergie en toi. Tu saisiras vite, sans effort de concentration exagéré ni volontarisme, combien les choses évoluent d'elles-mêmes. Le Qi va son chemin. Tu n'as pas besoin de le presser.

Les maîtres de Qi Gong conseillent toujours de sentir l'exercice lui-même comme une « aventure » de la plus haute importance. Chacun des mouvements du « Vol de la Grue » a fait l'objet de longues observations et de longues études et possède une signification pratique. Chaque exercice particulier doit de ce fait être exécuté de façon très précise, pour libérer et réguler les méridiens, leurs centres d'énergie et certains points d'acupuncture.

Ne laisse donc pas aller ton imagination à vau-l'eau mais au contraire concentre-toi sur l'exercice ! Pense que tout souci, toute entreprise passe !

Ce qui te paraît à cet instant important, pourra ne plus avoir aucune importance peut-être dans quelques instants. Laisse tomber, ou remets à plus tard ! Ce n'est pas pendant l'entraînement que tu vas trouver la solution aux problèmes que tu te poses.

L'essentiel dans le Qi Gong du « Vol de la Grue » c'est l'arrondi. Il faut que tous les mouvements soient ronds, souples, qu'ils ne soient pas de trop grande envergure ni trop étriqués, et ils doivent dessiner une sorte de cercle. Les mouvements découlent les uns des autres et s'enchaînent sans effort. Fais chaque mouvement lentement, car ce n'est qu'ainsi que tu pourras unir en un tout harmonieux ton corps, ton esprit et ton âme !

Plus tu exécuteras tes exercices lentement, plus le Qi s'animera rapidement en toi. Le flux du Qi se manifeste de différentes façons : une fois ce sera une chaleur bienfaisante que tu ressentiras distinctement dans les mains, les pieds, le Dantian et — ou — la région du cœur. Même un léger tremblement des mains est tout à fait bon signe pendant l'entraînement.

Ou bien tu auras tout d'un coup une impression de bonheur, de gaîté et de calme. Tes bras peuvent te paraître légers, ou lourds. Il peut également se faire que tu ressentes un léger picotement ou un élancement dans une région crispée de ton corps. Le Qi se manifeste en fonction de l'état de celui qui s'entraîne. Toutes ces manifestations sont la preuve que le Qi agit de façon positive, il ne faut pas s'en inquiéter.

Si tu considères le Qi Gong comme un remède possible pour contrer une maladie ou un blocage, il faudrait que tu puisses inclure ton entraînement de façon harmonieuse dans le déroulement et le rythme de ta vie quotidienne. Entraîne-toi avec régularité et si possible à une heure donnée ! Essaie de mettre au point un emploi du temps régulier pour ton entraînement Qi Gong, pour ton travail et pour ta détente ! Rappelle-toi : le bien-être favorise la santé.

Si la pratique du Qi Gong est trop intensive, cela « attise le feu », comme disent les maîtres de Qi Gong, et cela enflamme le Qi de façon peu naturelle, ce qui nuit à l'organisme. Une journée trop remplie ne laisse plus aucune place à l'entraînement Qi Gong. Une attitude trop passive et relâchée vis-à-vis de l'entraînement entraîne à plus ou moins long terme son échec.

Dans les livres d'enseignement de médecine chinoise traditionnelle, on trouve la plupart du temps des indications sur la manière de gérer sa vie. Ce sont les suivantes — ces conseils ne sont à comprendre que comme une aide ou une indication pour une prise de conscience et non pas comme une obligation morale[1] :

1) Eviter les manifestations exagérées des 7 émotions humaines comme la joie, la colère, l'anxiété, la rancœur, la tristesse, l'envie et la peur. Toute émotion trop forte agit de façon négative sur l'organisme (voir chap.4).

---

1. Essentials of chinese Acupuncture, Foreign Languages Press, Beijing/China, 1980, p. 40-46.

2) Etre attentif aux 6 éléments climatiques, facteurs extérieurs défavorables, comme le vent, le froid, l'humidité, la sècheresse, la chaleur de l'été et la brûlure du feu. Ces 6 éléments peuvent avoir une grande influence sur la santé. Il est particulièrement recommandé de faire attention aux changements de temps, et d'ajuster son comportement en fonction de ces variations.

3) Manger à des heures régulières. Il est recommandé de se nourrir avec modération et d'éviter tout excès — abondance ou jeûne.

4) Il est recommandé une certaine retenue dans la consommation d'alcool.

5) Il faudrait que les aliments soient frais et riches en vitamines. Les avis diffèrent quant à la quantité de protéïnes nécessaire.

6) Dormir et se ménager des temps de récupération en quantité suffisante. Le rythme jour-nuit doit être si possible préservé.

7) Il n'est conseillé ni une vie sexuelle débridée ni une abstinence forcée, peu naturelle.

8) Surmenage, stress et manque de mouvement : Si le surmenage dure trop longtemps, on observera l'apparition des symptômes du stress et par la suite des maladies organiques ou psychiques correspondant. Le manque de mouvement se traduit par une circulation paresseuse du Qi et du sang, par un affaiblissement général, par une respiration courte et une force de résistance diminuée du système immunitaire.

Chapitre 8

PRÉPARATION À LA PRATIQUE DU QI GONG

*Le bonheur appartient
à ceux qui savent rire.*

Proverbe Japonais

Après les conseils du chapitre précédent, tu es maintenant prêt à aborder le Qi Gong :

1) Sois simplement bien présent ! En inspirant tu auras l'impression de devenir très grand. En expirant tu laisseras tomber tes épaules.

2) Mets-toi debout, les deux pieds solidement ancrés dans le sol qui doit être plat ! Les pieds sont parallèles et écartés de la largeur des épaules. Maintenant sens la plante de tes pieds et pense Yungquan ! Toute tension, tout souci et toute nervosité doivent disparaître dans le sol, sous tes pieds.

3) Tu portes ton poids d'abord dans les talons, puis tu le fais passer au milieu du pied, jusqu'à ce que tu sentes une légère tension dans le milieu du pied et dans le bas de la jambe. Prends le temps de trouver ta verticale !

4) Les genoux sont légèrement fléchis. Tu as l'impression que tu vas t'asseoir. Les articulations sont souples. Tu les sens jouer légèrement. Les genoux ne dépassent pas la ligne des orteils. Tu dois sentir alors une légère tension dans le mollet. Le haut des jambes est relâché. Pense Mingmen !

5) Maintenant redresse la colonne vertébrale ! Elle est soutenue par le bassin. Essaie d'en prendre conscience, en la faisant bouger légèrement ! Repère en même temps en pensée le Huiyin (au périnée), Mingmen (à hauteur du nombril sur la colonne vertébrale), Dazhui (entre les omoplates). Si en inspirant (par le nez), tu lèves les épaules et les laisses retomber en expirant (par la bouche), cela t'aidera à libérer ta colonne vertébrale.

6) Porte ton attention sur le Dazhui, afin de détendre les épaules et le torse ! Pour ce faire, fais de petits cercles avec les épaules d'avant en arrière et en sens inverse ! Ou bien, hausse-les rapidement et puis relâche-les d'un seul coup !

7) Ecarte légèrement les coudes vers l'extérieur, pour ne pas risquer d'étrangler le méridien du cœur sous l'aisselle ! Imagine

86

que tu as un œuf sous l'aisselle ! Cela t'aidera à ouvrir le haut des bras.

8) Concentre maintenant ton attention sur tes bras, tes coudes, tes poignets et tes mains ! Ce sera plus facile si tes épaules sont bien relâchées. Tes bras pendent alors comme un prolongement des épaules. Essaie de sentir Shenmen, pour relaxer les poignets et les mains. Les doigts pointent vers le bas. Les bras ne touchent pas le corps.

9) Prends conscience de tout ton corps et efforce-toi de sentir qu'il est là, bien droit, décontracté de la tête aux pieds, de Baihui jusqu'à Yungquan ! Imagine ta tête et dans son prolongement ta colonne vertébrale, comme attachées par le haut à un fil de soie, tandis que la pesanteur t'attire vers le bas ! Tes pieds reposent bien sur le sol. C'est ainsi que tu étires tes antennes en direction de la terre et du ciel et que tu mets en toi le Yin et le Yang en harmonie.

10) Rentre légèrement le menton ! Cela facilitera ta respiration et ta perception de l'axe de ton corps.

11) Appuie ta langue légèrement sur la gencive à l'arrière des incisives supérieures. La production accélérée de salive est un signe indubitable de circulation d'énergie. La salive va être transformée en énergie, avalée par petites quantités et concentrée dans le Dantian. Une sensation commençante de chaleur dans les mains, dans les pieds, et dans la zone du cœur, est également une autre manifestation du flux de Qi.

12) Les lèvres sont détendues et tu déploies ton sourire de l'intérieur vers l'extérieur, détendant au passage ton front soucieux, ta mâchoire inférieure crispée, ton estomac ou ton diaphragme noués. Laisse ton sourire se poser sur ton cœur !

13) Laisse aller et venir ta respiration ! Il ne faut pas que ces exercices modifient ni influencent de façon consciente ton rythme respiratoire. Celui-ci s'établit en effet de lui-même. La respiration sera légère ou plus profonde naturellement, si tu ne la forces pas, artificiellement.

14) Les yeux regardent vers l'avant et ne se fixent sur rien. Ils sont ouverts ou entr'ouverts. Cependant de nombreuses personnes préfèrent fermer les yeux au début de l'entraînement, pour pouvoir mieux se concentrer. Essaie de ne plus penser à rien, à aucun projet, à aucun plan, aucun problème, et de te concentrer entièrement sur les exercices et sur l'entraînement Qi Gong qui va suivre !

15) Prends le temps qu'il faut, pour te préparer à ces exercices ! Cela peut durer deux petites minutes, comme beaucoup plus longtemps.

Remarques à propos de ces différents points :

Point 2 : par l'ouverture du point Yungquan vers la terre, c'est l'énergie négative qui est canalisée hors du corps. Et de l'énergie nouvelle est apportée de la terre. L'énergie Yin de la terre vivifie le sang. Elle est la mère de l'énergie Yang.

Point 4 : cette position sert à décontracter la zone du bassin, des hanches et du coccyx.

Point 5 : avec le relâchement des hanches, on a pour objectif d'ouvrir le coccyx, ce qui est essentiel pour le flux de Qi.

Point 6 : on peut lever les épaules quelques instants vers l'avant, de façon à relâcher tout-à-fait le buste. Cela libère les organes internes de toute tension. Cependant si tu gardes une sensation d' étroitesse au niveau du buste et que le soulèvement des épaules n'a aucun effet d'ouverture sur la poitrine, laisse tout de suite retomber tes épaules dans leur position initiale naturelle !

Point 7 : en relâchant les épaules, on fait descendre le Qi au Dantian.

Point 8 : le Dantian est un bassin de concentration de l'énergie : il se situe juste trois doigts au-dessous du nombril. Une salivation abondante est très bonne pour la digestion. Les pratiquants de longue date du Qi Gong arrivent à enrouler leur langue jusqu'à la naissance du palais. Mais comme pour respirer, il est recommandé de ne pas agir de façon volontariste et outrancière.

Point 9 : les débutants surtout se concentrent principalement sur les exercices et les enchaînements et ils oublient de respirer parfois.

Point 10 : le regard porté vers l'avant est un bon exercice pour le cerveau. Le cerveau est en effet la centrale de connection du système nerveux, de la conscience et de l'intellect. Le cervelet a entre autre la charge de réguler l'équilibre. Si les deux yeux regardent vers le haut, le poids du corps se reportera sur l'arrière et l'énergie circulera vers le haut. Si le regard se baisse, le poids se reportera sur l'avant et l'énergie descendra.

En s'exerçant de façon régulière, on peut à la fois assouplir et équilibrer les mouvements de son corps, et améliorer son ouïe comme l'ensemble des fonctions cervicales.

La concentration pendant l'entraînement doit avoir pour effet de t'apporter la paix. Si tu as du mal à te transposer dans un état de relaxation et d'apesanteur relative, tu peux essayer de t'aider en prononçant certains mots, tels que : « je suis calme », ou « je suis décontracté », « paix », « harmonie et bienveillance », « je sens mon sourire au plus profond de moi », ou tout simplement : « maintenant je me concentre sur cet exercice ». Tu peux aussi penser très fort les mots suivants : « détachement », « compassion », ou « générosité ».

Chapitre 9

DESCRIPTION
DES 5 FORMES D'EXERCICES

Premier enchaînement

L'Ouverture aux 6 orientations : l'Est, l'Ouest, le Sud, le Nord,le Ciel et la Terre

Préparation (ill. 25-26)

Dans cet exercice le Qi de l'individu fait alliance avec tout l'univers. Les pieds sont écartés de la largeur des épaules et des hanches. Comme les pieds sont parallèles, les talons paraissent légèrement tournés vers l'extérieur. Le visage est tourné vers le sud. Prends donc ton temps, pour te préparer et te mettre dans l'ambiance comme nous l'avons décrit au chapitre 8 !

En t'ouvrant aux 6 orientations, tu seras en contact avec l'ensemble de ton organisme. Chacune des 6 orientations symbolise un ou plusieurs organes (voir chap. 5). L'être humain se trouve au milieu entre le ciel et la terre et au croisement des 4 points cardinaux. C'est à lui qu'incombe le devoir de faire la connection de l'ensemble de ses méridiens, de purifier les voies de circulation de l'énergie et de « désencrasser sa machine ».

Les centres d'énergie ou les points d'acupuncture sont un peu comme des gares de triage ou des points de rencontre, où la circulation doit pouvoir se faire d'où qu'elle provienne.

Le soulèvement de l'aile (ill. 27-30)

Pose ta conscience en Baihui ! Fais en sorte que le Qi nouveau pénètre en ton corps par ce « fil de liaison avec le ciel », et qu'il atteigne le Dantian en passant par la voie du Zhong-mai.

Tâche de le percevoir un instant, avant qu'il ne poursuive vers le Huiyin. De là, l'énergie passe par le coccyx et continue sa course ascendante vers Mingmen, puis vers Dazhui. Ensuite, conduis-la encore par tes épaules, puis le long de la face interne des bras, jusqu'au point Laogong. Laisse ta respiration aller et venir comme elle le veut.

Pense Laogong et sens la chaleur à cet endroit ! Les bras et les mains pendent bien décontractés de chaque côté du corps, portés

1er enchaînement

Illustration 25

Illustration 26

par une tension intérieure agréable. Les poignets sont souples. Considère maintenant tes épaules comme un axe, autour duquel tu vas lentement lever les bras et les mains vers l'avant, le dos de la main tourné vers le haut, jusqu'à la hauteur des épaules. Etire tes doigts et fais leur faire un angle de 90 degrés avec le reste du bras, de telle sorte que les paumes des mains soient tournées vers l'avant. Ce-faisant, pense Laogong ! Puis relâche les mains, et amène-les doucement jusqu'à un angle de 45 degrés près du corps. Concentre alors toute ton attention sur tes épaules. Puis étends de nouveau les bras, et ramène encore les mains à 90 degrés du reste du bras. De nouveau pense Laogong !

Il faudra répéter 3 fois ce mouvement comme une vague douce, à hauteur des épaules. Au cours de ce mouvement, il faudra laisser les épaules, les coudes et enfin les poignets bien souples.

Remarque à propos de cet exercice :

Quand les mains se trouvent inclinées à 45 degrés, du Qi tout frais est attiré à travers Laogong et quand on étend les bras, le Qi vicié est rejeté. Ceci est appelé respiration Laogong.

Au chapitre 5 nous avons bien expliqué ce qu'étaient les points Baihui, Huiyin, Mingmen, Dazhui, Laogong, Zhong-, Ren- et Dumai, et dans « le Vol de la Grue, mouvement vivant », on peut retrouver l'ensemble des principes qui régissent l'action du Qi Gong sur tout l'organisme (chap. 15).

Maintenant tu as le visage tourné vers le sud. Le sud est associé au cœur. Dans ce premier mouvement tu as donc pris contact avec le sud et peut-être as-tu « ouvert ton cœur ». Prends chaque fois le temps de rectifier ta position - poids au-dessus de la plante des pieds, sourire apaisant, et contrôle, sans tension.

L'écartement des ailes (ill. 31-35)

Pense Laogong, et lève lentement les bras sur le côté jusqu'à la hauteur des épaules. Puis de nouveau relève les mains à 90 degrés et répète ce mouvement de vague encore 3 fois doucement. Relâche les mains de 45 degrés, et ramène-les jusqu'à un angle de 45 degrés par rapport au corps, et sans effort superflu, tu étires de nouveau. Respire naturellement !

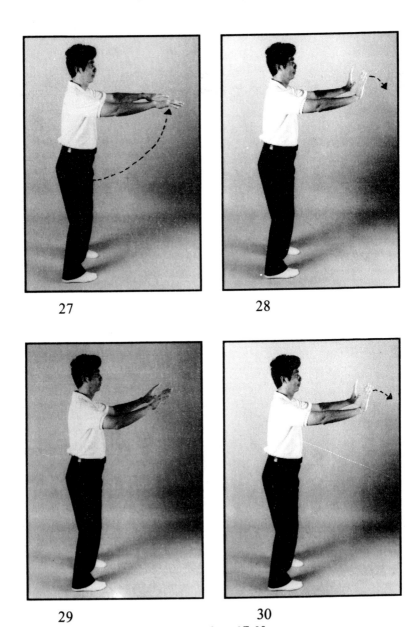

27

28

29

30

Illustrations 27-30

31

32

33

34

Illustrations 31-34

Remarque à propos de cet exercice :

C'est encore en ramenant les bras que l'on inspire le Qi frais à travers Laogong et c'est en étirant les bras que l'on expulse le mauvais Qi. Pense toujours Laogong en ramenant et en étirant les bras.

Les épaules sont relâchées. L'étirement ne doit absolument pas exercer de pression sur les poignets, et il faut plutôt l'entendre comme une tension intérieure très équilibrée. En réalisant ce mouvement avec tes bras de chaque côté de ton corps, tu as pris contact avec l'est, auquel est associé le foie, et avec l'ouest auquel correspondent les poumons. Ces deux organes tirent donc bénéfice de ces mouvements.

La fermeture des ailes (ill. 36-38)

Décontracte les mains et les épaules, et laisse tomber tes bras lentement jusqu'à ce qu'ils se trouvent de chaque côté du corps, à une angulation d'environ 20 degrés, bien souples mais cependant sous tension. Pense Laogong en tournant les mains vers l'avant, de telle sorte que la paume des mains soit dirigée vers l'arrière. Soulève légèrement les talons et étire lentement les bras vers l'arrière jusqu'à un angle de 45 degrés par rapport au corps ! Les bras sont alors un peu comprimés vers l'intérieur de telle sorte qu'une légère tension se fait sentir au niveau des omoplates. Tes jambes sont droites, mais pas raides.

Remarque à propos de cet exercice :

Ce sont les reins qui vont tirer avantage de la position des bras tendus vers le nord. C'est ainsi que tu as pu établir le contact avec les 4 points cardinaux.

Le repli des ailes (ill. 39-43)

En ramenant les doigts les uns après les autres, en commençant par le petit doigt et en finissant par le pouce, tu vas ensuite transformer tes mains en une sorte de pinces, de serres, et elles vont monter lentement jusqu'à la hauteur des aisselles. Porte ton attention sur les dix extrémités de tes doigts. Tous tes doigts sont sous tension. Avant de projeter doucement les mains vers l'avant, il faut que tu te mettes encore un peu plus sur la pointe des pieds et que tu plies les genoux. Lorsque tu vas secouer tes mains vers

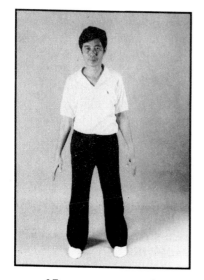

35

36

37

38

Illustrations 35-38

l'avant il faudra serrer les bras très près du corps, et garder les pieds bien solidement ancrés au sol. Tu dois rester dans cette position 1 ou 2 secondes, avant d'ouvrir les mains en forme de coque. La respiration poursuit un rythme très naturel.

Remarque à propos de cet exercice :

Imagine que tu attires avec tes dix doigts tout ce qu'il y a de malade et de nocif dans ton corps ! Et que tu le secoues loin de toi par l'extrémité de tes doigts, quand tu fais le mouvement de projection vers l'avant. Représente-toi aussi, que toute cette négativité va se dissoudre et se réduire à néant dans la pièce, ce qui ne va donc pas atteindre l'intégrité du lieu où tu t'entraînes ! Si au moment du jet, tu ouvres les mains trop tôt, l'énergie bienfaisante risque de s'évanouir également en partant par Laogong. Tu peux la conserver en refermant les doigts. Le fait de soulever bien franchement les talons, permet une mise en vibration de la colonne vertébrale, ce qui fait monter l'énergie Yang.

La collecte et l'écoulement du Qi dans le Baihui (ill. 44-46)

Maintenant tu détends et tu ouvres tes mains, et tu accumules ainsi le nouveau Qi comme avec une louche. Etends doucement les bras et fais-les remonter lentement en avant de ton corps. A la hauteur de ton regard, les coudes vont s'ouvrir et passer de chaque côté des oreilles. Les mains vont poursuivre leur course lentement au-dessus de la tête. Imagine que tu puises du Qi nouveau par les deux Laogong, que tu le déverses dans le Baihui, et que tu le laisses ainsi s'écouler le long du Zhongmai jusqu'au Dantian !

Remarque à propos de cet exercice :

Le centre du corps, son axe, est mis en contact avec la terre, et s'accorde avec elle, ce qui profite à la rate. Yin, l'« énergie terrestre », et Yang, l'« énergie du ciel », se mêlent quand le flux de Qi passe dans le Baihui.

L'ouverture au ciel et la prise de Yang (ill. 47-50)

Le corps reste toujours détendu, les genoux pliés, comme si tu voulais t'asseoir sur un siège. Noue les dix doigts entre eux, et retourne tes mains, paumes vers le haut. Les deux Laogong sont

39

40

41

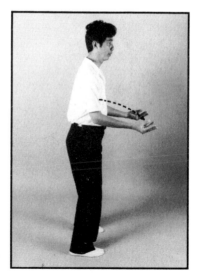

42

Illustrations 39-42

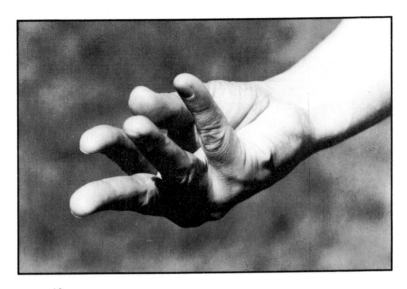

43

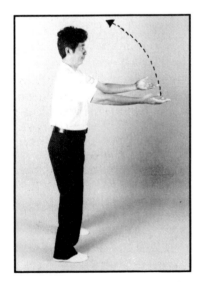

44

45

Illustrations 43-45

de ce fait tournés vers le haut. Le Yin de la paume absorbe ainsi le Yang du ciel et se propage jusqu'au point Yang, Baihui. Les deux bras, les paumes des mains, et la ligne des épaules forment un hexagone. Dans les exercices suivants, Laogong et Baihui se trouvent systématiquement l'un au-dessus de l'autre, afin de maintenir cette relation (les mains ne doivent dévier ni vers l'avant ni vers l'arrière). Pense à ta vertèbre axis !

Commence d'abord par faire travailler l'épaule gauche et fais-lui décrire un cercle ! Tourne légèrement le coude gauche vers l'extérieur, puis amène-le vers l'avant, vers le bas, et continue ce mouvement circulaire vers l'arrière jusqu'à ce que le coude se retrouve de nouveau revenu à son point de départ sur l'espèce d'hexagone !

La rotation de l'épaule droite intervient tout de suite après celle de l'épaule gauche, sans aucune transition. Avec le temps, on arrive ainsi à réaliser des rotations de façon de plus en plus fluide. Le tronc et la tête ne doivent pas bouger. Les mains restent toujours dans la même position, au-dessus du Baihui. Toute la zone entre Dazhui, Baihui et les deux Laogong s'étire légèrement après les premiers cercles bilatéraux, puis on relâche.

A présent concentre toute ton attention sur tes vertèbres dorsales ! La rotation des épaules va être renouvelée de chaque côté, après quoi on étire la zone dorsale -Baihui-Laogong. Pour cela on pousse les bras vers le haut, ainsi que les épaules, très légèrement. Puis on relâche.

On reprend la rotation des épaules pour la troisième fois en concentrant toute son attention sur les vertèbres lombaires cette fois. Après ces rotations, ce sera la zone lombaire -Baihui-Laogong qui sera étirée. Plie alors les genoux et tire tes bras aussi loin que possible vers le haut ! Toute la colonne vertébrale est alors étirée en souplesse, puis on relâche de nouveau. Tu te redresses alors et tu laisses tomber tes épaules bien souples, tandis que bras et mains restent dans la même position. Les genoux sont un peu fléchis, comme si tu voulais t'asseoir.

Remarque à propos de cet exercice :

L'ouverture vers le ciel sollicite l'énergie Yang dans le corps.

Tu as ainsi pris contact avec la cinquième direction qui correspond à l'énergie Yang. Pense toujours qu'à chaque contraction succède une décontraction, un relâchement, sinon l'énergie

46

47

48

49

Illustrations 46-49

1er enchaînement (suite)

50

51

52

53

Illustrations 50-53

est en effet perdue ! Elle s'échappe vers l'extérieur, ou alors elle se fige.

Pour cet exercice la colonne vertébrale est subdivisée en trois zones : la partie supérieure, de la base du crâne au Dazhui, (entre la dernière, la 7ème vertèbre cervicale et la première dorsale) ; la colonne moyenne, qui va du Dazhui à la 12ème dorsale (à peu près à une largeur de mains du Mingmen) ; et la colonne inférieure qui va de la première lombaire depuis le haut du Mingmen jusqu'au coccyx. Quand on étire l'une de ces trois zones, on sent les liaisons entre l'atlas, les cervicales, l'ensemble de la colonne vertébrale, le Baihui et Laogong.

Le contact à la terre et la fusion avec le Yin (ill. 51-53)

Etire tout ton corps et penche-toi ensuite, vers l'avant, vertèbre après vertèbre. La tête pend bien lâche entre les avant-bras. Descends lentement, jusqu'à ce que les paumes des mains - qui sont restées agrippées l'une à l'autre - touchent le sol, entre les deux pieds ! Tourne le torse vers la gauche et appuie doucement le plat des mains sur le sol en avant du pied gauche (ne se pencher en avant que dans la mesure où ça ne bloque pas) ! Puis tu envoies doucement le torse vers la droite et tu touches également le sol en avant du pied droit. Les mouvements du buste doivent se faire les jambes droites mais non pas raides. Ton esprit « passe » de Laogong et Longquan à la terre.

Remarque à propos de cet exercice :

Si tu n'arrives pas à toucher le sol avec les mains, fais - en imagination — comme si tu le touchais, comme si tu avais un contact direct avec la terre ! Grâce à ce lien à la terre, c'est le Yin des Laogongs qui est nourri par le Yin de la terre, ce qui est bon pour le sang. La terre, ici notre 6ème orientation, agit en effet en liaison directe sur la circulation du sang. Les personnes qui ont une tension trop élevée par exemple ne peuvent pas baisser tout-à-fait la tête en faisant cet exercice. Ils ne la laissent pas pendre, mais vont en général regarder en avant.

Réintroduction du Qi par deux fois (ill. 54-71a)

Les mains se détachent naturellement l'une de l'autre. Le bras gauche revient au centre entre les pieds, pendant que le bras droit reste à l'extérieur de la jambe droite. Fais passer tout ton poids sur la jambe droite ! Pendant que le pied gauche tourne de 45 degrés vers la gauche et reste ainsi sur la pointe, le tronc et les bras font en même temps une rotation vers la gauche. Le bras droit décrit un petit arc de cercle, jusqu'à ce qu'il se trouve en croix à une distance de 30 cm du bras gauche. Le Laogong interne de la main droite se trouve maintenant en contact avec le Laogong externe de la main gauche. Le poids du corps se trouve encore sur la jambe droite. Le haut du corps se redresse lentement. Tes mains vont prendre, en un mouvement bien coulé, à peu près à hauteur du nombril, la forme d'une boule dans laquelle il y a quantité d'énergie. Les deux genoux sont pliés (ill. 54-57).

Soulève ta jambe gauche et fais un pas vers l'avant à 45 degrés en diagonale ! Pose d'abord les orteils et tends la jambe droite (en laissant les articulations toujours bien souples). Aussitôt tu replies la jambe gauche, jusqu'à ce que le bas de la jambe soit perpendiculaire au sol. Le genou est exactement orienté dans la même direction que les orteils.

Le poids est maintenant au centre, c'est-à-dire réparti sur les deux jambes à égalité. En faisant le pas en diagonale tes bras se séparent. Ton attention est centrée sur Laogong. Lève le bras gauche, lentement, en un demi-arc de cercle, jusqu'à ce que le coude arrive à hauteur des sourcils ! Le regard suit le mouvement de la main. Il reste en contact permanent avec Laogong, jusqu'à ce que la main arrive à un niveau tel qu'il faudrait lever la tête pour continuer à la suivre du regard. Le menton reste, lui, légèrement rentré et ne bouge pas. Le coude gauche pointe vers l'extérieur. Pendant que le bras gauche exécute son mouvement ascendant, la main droite va se retourner dans un mouvement doux et bien coulé. On pose le bord externe de la main de biais devant l'aine droite, sans pour autant toucher le corps les paumes s'inclinent à 45° (ill. 58-59).

Insiste un peu dans cette position et reste ainsi quelques instants, puis tourne la tête vers l'avant ! La main gauche s'élève encore un peu, si bien que le Qi va pouvoir affluer du Laogong au Baihui.

Tu écartes alors le pouce de la main gauche des autres doigts et tu ouvres ainsi la « grande gueule du tigre ». Celle-ci va descendre lentement près de l'oreille gauche, jusqu'à la hauteur du tronc. Le pouce passe derrière l'oreille, le reste de la main devant l'oreille. A hauteur du buste le pouce est relâché et la main rejoint lentement la zone du nombril. C'est d'abord la main qui descend, le coude suit. Puis ton bras gauche décrit un arc de

54

55

56

57

Illustrations 54-57

58

59

60

61

Illustrations 58-61

cercle vers l'avant depuis le Dantian en partant sur le côté (fixe ton attention sur Laogong !). Ta main exécute alors un demi-tour et se tourne vers le tronc (pense Dantian !). Le bord externe de la main se pose de biais devant l'aine gauche, la paume tournée à 45 degrés du corps. La main ne touche pas le corps (illustr. 60-65).

Maintenant tu vas passer le poids de ton corps sur la jambe gauche (les genoux sont pliés). Tu tournes le haut du corps et le visage à 45 degrés vers la droite et tu soulèves en même temps ta jambe droite. Tu rapproches légèrement le pied droit du pied gauche et tu fais un pas en décrivant une sorte de U à la diagonale vers l'avant. Là-aussi ce sont les orteils qui vont se poser d'abord, ta jambe gauche est tendue, et la droite est posée de telle sorte que le bas de la jambe se trouve à la verticale du sol. Le genou droit pointe dans la même direction que le pied droit. Le bras droit décrit exactement le même mouvement que le gauche auparavant. Ton regard suit le mouvement ascendant de la main droite, et il reste en contact avec Laogong. Le poignet droit va bientôt se trouver à hauteur des sourcils, tandis que le milieu de l'avant-bras, entre coude et poignet, s'aligne à la verticale du genou (illustr. 66-68).

La main se met en forme de « gueule du tigre », et elle descend lentement le long de l'oreille droite jusqu'à la hauteur du nombril. Arrivé là, tu reportes le poids de ton corps sur la jambe gauche et tu tournes légèrement le talon droit vers l'extérieur. Le pied gauche se remet dans la position de départ. Ce-faisant, tu retournes la main gauche, qui se retrouve avec la main droite, les paumes vers le bas, à une distance de quelques centimètres seulement du nombril (illustr. 69-71a).

Remarque à propos de cet exercice :

La « gueule grande ouverte du tigre » va pousser avec sa « force tranquille » l'énergie vers le bas, vers le Dantian. L'objectif est encore que le Qi du « Grand Univers » parvienne sans arrêt au Dantian, depuis Baihui en passant par Zhongmai. Quand on écarte le pouce vers l'arrière, ce sont également des points d'acupuncture importants que l'on sollicite dans le cou. La main qui descend et le coude qui la suit font que la cage thoracique s'ouvre. Si c'était le coude qui conduisait le mouvement, la poitrine serait oppressée. Ne jamais exposer l'oreille au contact direct avec Laogong.

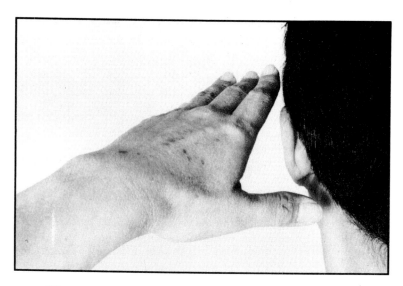

62

63

64

Illustrations 62-64

Illustration 65

Illustrations 66-69

70

71

71 a

72

Illustrations 70-72

La collecte de l'énergie (ill. 72-73)

Les genoux sont légèrement pliés, comme si tu voulais t'asseoir. Les mains sont détendues à hauteur du nombril, les paumes tournées vers le bas. Tu vas les incliner maintenant légèrement (le dos des mains à 45 degrés de la ligne du corps). Et tu les laisseras en avant décrire un demi-cercle vers l'extérieur. L'extrémité du coccyx (Weilu) est légèrement repoussée vers l'arrière, comme si tu voulais t'asseoir. Le mouvement des deux mains ne dépasse pas l'amplitude définie par la largeur des épaules. Puis les paumes vont se tourner vers l'intérieur et tu dois imaginer qu'elles tiennent une grosse boule d'énergie. Tu vas essayer de faire pénétrer cette énergie dans le Dantian, par la force d'attraction de tes mains vers ton corps. Puis tes mains vont se stabiliser et rester dans une position en avant du Dantian. On pourrait alors imaginer qu'un tiers de la boule d'énergie a déjà pénétré dans cette zone de ton corps, le Dantian, et que les deux tiers se trouvent encore en avant du Dantian.

Les épaules doivent être relâchées, et le haut du corps bien droit. Tes doigts pointent légèrement vers le bas. Imagine que tu attires légèrement Huiyin et le bas de ton ventre vers le haut ! Alors on peut dire que le Qi est collecté dans le Dantian par le haut et par le bas. Tu dois avoir le nez et le nombril sur une même ligne. Décontracte ton corps, et reprends la position de départ ! Avec précaution tu laisses tes mains glisser sur les côtés, puis vers le bas. Reste ainsi quelques secondes, immobile, et laisse ce premier enchaînement d'exercices faire son effet en toi !

Remarque à propos de cet exercice :

Le Qi est comme un trésor précieux, dont il faut tout d'abord être digne, ensuite il faut savoir le préserver. Les mains sont comme des louches à l'aide desquelles le précieux Qi va être puisé ou déplacé. Le champ d'énergie que génère cet enchaînement est capté par la boule d'énergie et concentré dans le Dantian.

La position des mains en avant du Dantian doit être très précisément observée. Il faut absolument qu'elles soient maintenues directement en avant du Dantian, parallèlement au corps. Si elles glissent trop vers le bas, le Qi des Laogongs perturbera la vessie, le périnée et les organes sexuels. Il se peut aussi que la pression sur l'appareil digestif soit trop forte. Si les mains sont trop hautes et trop ouvertes vers le haut, il se peut que l'énergie reparte vers le haut. Ces deux réactions sont à éviter, bien sûr.

Si l'on bascule le coccyx (Weilu) vers l'arrière, il est important de ne pas laisser cambrer la région lombaire. Il faut au contraire rester très dynamique, en station debout, et préserver la relation animée vers l'avant.

Illustration 73

Deuxième enchaînement

Ouverture au ciel et à la terre.
Harmonisation du Yin et du Yang

Préparation (ill. 74)

Cette série d'exercices sert à ouvrir et à stimuler les 3 méridiens Yin et les 3 méridiens Yang de la main. Les 3 méridiens Yin de la main sont ceux du poumon, du péricarde (muscle du cœur, circulation sanguine, sexualité), et du cœur. Les 3 méridiens Yang de la main sont ceux du gros intestin, du triple foyer et de l'intestin grêle.

Les pieds sont parallèles et écartés de la largeur des épaules. Il faut maintenant que tu refasses tout le rituel de préparation intérieure décrit au chapitre 8. Vérifie ta position, la répartition du poids de ton corps, et essaie de percevoir fermement le contact de tes pieds avec la terre ! Fais passer le Qi de Baihui, le long de Zhongmai et Dumai jusqu'au point Laogong ! Prends tout ton temps, et tout l'espace nécessaire pour respirer ! Trouve ton sourire intérieur !

Rappelle-toi que l'écoulement du Qi est une question de concentration, et que les indications qui sont données, concernant les points et les voies de circulation de l'énergie, ne sont là que pour t'aider ! Vouloir arriver à tout prix, s'obstiner sur un détail, signifierait l'arrêt de toute circulation d'énergie, son gel ou son blocage. D'autre part une telle frénésie volontariste pourrait entraîner des effets tout-à-fait indésirables. Dénoue-toi — pas seulement physiquement — et avant tout cherche l'harmonie de ton esprit ! Tu peux trouver toute indication à ce sujet pour savoir comment faire, dans « le Vol de la Grue, un mouvement vivant » (3ème partie de cet ouvrage).

Le soulèvement des ailes (ill. 75-82)

Concentre-toi sur Laogong ! Tu plies les genoux, comme si tu voulais t'asseoir. Les paumes des mains sont tournées l'une vers l'autre. Les bras sont droits et remontent lentement jusqu'à hauteur des épaules, sans s'écarter de plus de la largeur des épaules.

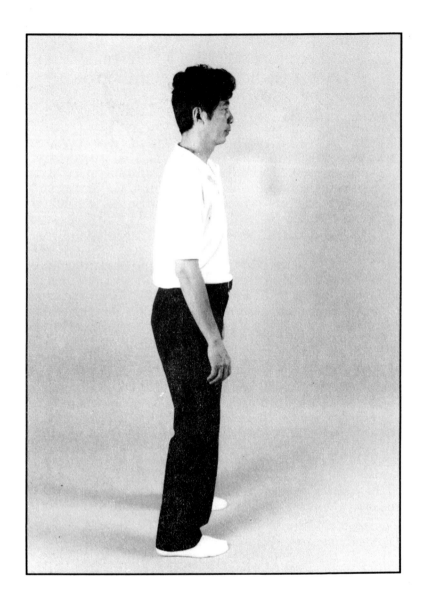

Illustration 74

2ème enchaînement (suite)

75 76

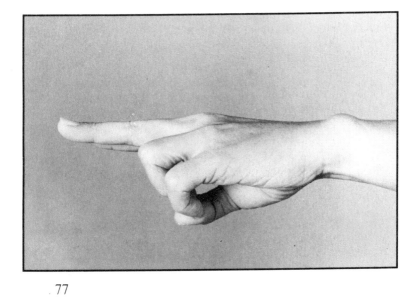

77

Illustrations 75-77

Si celles-ci tombent bien souples, tu n'as pas besoin d'employer d'autre force.

Imagine une boule, qui se développerait petit-à-petit entre tes deux mains ! Cette boule est pleine d'énergie que l'on peut sentir sous forme de chaleur dans les mains. A hauteur des épaules tourne les paumes vers le bas ! Les doigts se mettent dans la position dite de l'« épée », c'est-à-dire que le pouce appuie doucement sur les ongles du petit doigt et de l'annulaire. Le majeur et l'index restent tendus, serrés l'un contre l'autre (ne pas former de V !). Fixe ton attention sur ces deux doigts tendus, et écarte lentement les bras de côté ! Les bras et les épaules forment maintenant une seule ligne. Pense toujours à tes doigts en forme d'épée, et utilise les vertèbres de la nuque comme un axe !

Commence ton mouvement par la main gauche : tu la rapproches de l'épaule, puis tu la tends de nouveau. Fais la même chose avec la main droite ! Il ne faut rallonger chaque bras que lorsque le haut du bras se trouve sur un angle de 45 degrés par rapport au corps. Les doigts restent bien dans la position « de l'épée ». Fais ce mouvement par trois fois consécutivement, un bras après l'autre ! Chaque fois, en allongeant les bras, porte ton attention sur tes « doigts en épée » !

Puis, des deux mains, tu imites la forme de la « tête de la grue » : pour cela, tu poses le majeur sur l'ongle de l'index. Reste ainsi quelques secondes !

Remarque à propos de cet exercice :

En tenant la boule d'énergie, on ouvre les deux Laogongs. Il y a échange d'énergie interne et externe. Celles-ci se mêlent, ce qui favorise la circulation du sang. Au cours du mouvement de la position dite « de l'épée », le Qi va faire le va-et-vient de l'extrémité des doigts en épée que l'on ramène, aux doigts en épée de l'autre bras tendu, en passant par Dazhui. Le mouvement est très coulé, et très souple. Les bras sont tendus, mais sans forcer.

Dans ces mouvements de déploiement lent des « ailes », ce sont les six méridiens de la main que l'on sollicite. La formation de la « tête de la grue » sert à faire passer l'énergie du méridien du péricarde (qui a son extrémité au bout du majeur), vers le méridien du gros intestin (qui a son origine à l'index). Cela contribue à une meilleure digestion. D'autre part cela ouvre le point Yuchen à la base du crâne, qui a une influence sur les

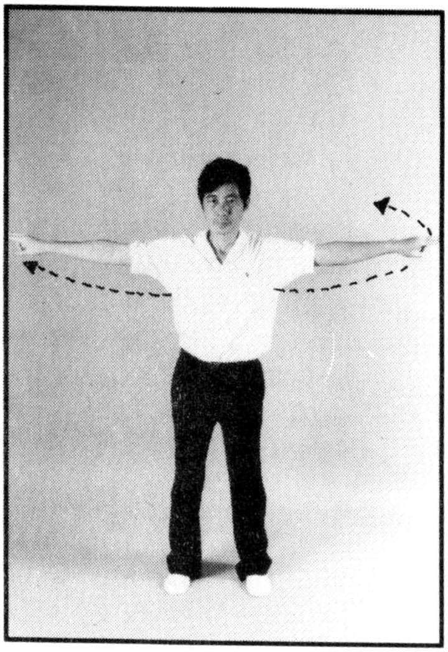

78

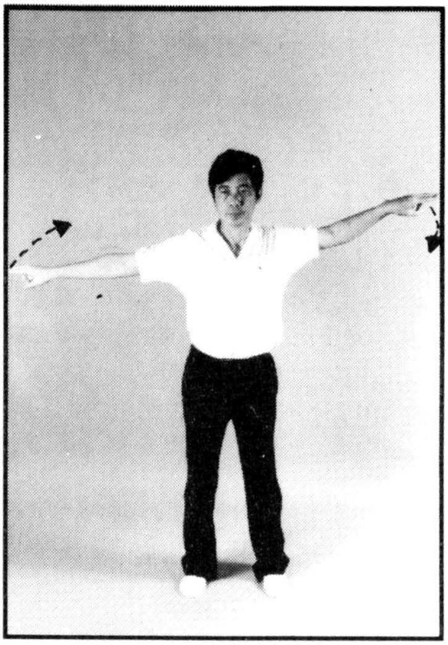

79

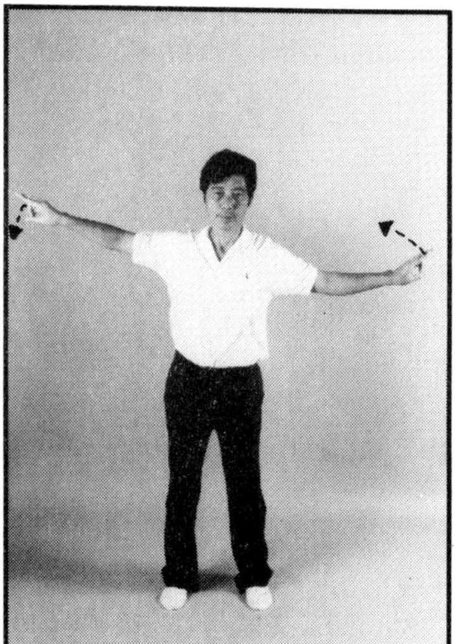

80

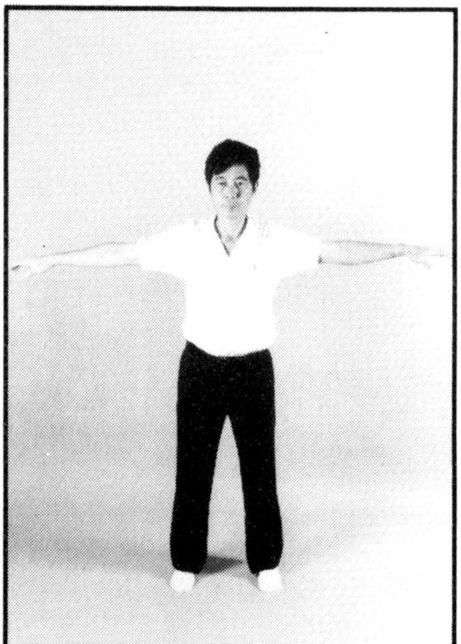

81

Illustrations 78-81

. cervelet et une action de régulation de la respiration
.me nerveux.

.ref : la pression du majeur sur l'index a un effet de
.te générale.

Le déploiement des ailes et la contemplation du ciel
(ill. 83-84)

Les bras sont encore tendus. Pense Laogong ! Ouvre la « tête
de la grue » et détends tes mains ! Les jambes sont maintenant
tendues. Le poids est légèrement reporté sur l'avant. Tu tournes
les paumes des mains vers le haut et tu déplaces en même temps
le poids du corps vers l'arrière. Puis tu ouvres les bras comme si
tu voulais entourer une grosse boule d'énergie, ou le soleil. A ce
moment tu penches le haut du corps vers l'arrière, sans excès. La
tête suit le mouvement. Le menton reste légèrement rentré et les
deux points Laogong se font face.

Remarque à propos de cet exercice :

Pendant la contemplation du ciel, le Yang interne va s'unir au
Yang externe. L'ouverture de la cage thoracique stimule les
organes et les méridiens qui se trouvent dans cette région du
corps. Les deux Laogong, communiquant dans ce grand cercle,
font en sorte que le Qi s'écoule bien le long de la ligne des
épaules, à travers les bras, les mains et la tête. Le retrait du
menton est bénéfique pour le cœur et pour les poumons.

La fermeture des ailes (ill. 85)

Le haut du corps se redresse. Tu tournes la paume des mains
vers le bas et tu abaisses lentement les bras, très décontractés,
jusqu'à un angle de 20 degrés avec la ligne du corps. Les épaules
sont également bien détendues.

Remarque à propos de cet exercice :

Si tu conduis ce mouvement des bras vers le bas avec lenteur,
tu sentiras d'autant mieux l'énergie dans tes mains, comme une
sensation de chaleur voire un picotement. Le Yin et le Yang
coulent en même temps dans tes mains et de là ils s'en vont par
tout le corps. Le Yin s'écoule de droite à gauche, le Yang de
gauche à droite.

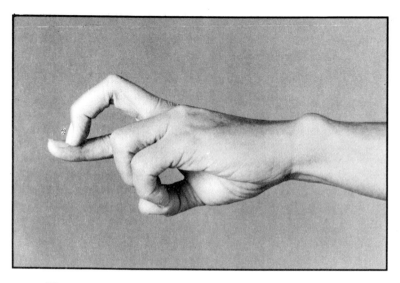

82

83

84

Illustrations 82-84

Le repli des ailes (ill. 86-87)

Les paumes se tournent maintenant vers l'arrière, mais sont maintenues près du corps. De nouveau les mains vont prendre une forme de serres, doigt après doigt, en commençant par l'auriculaire et en terminant par le pouce. On remonte ces « serres » de chaque côté du corps, jusqu'à la hauteur des aisselles. Concentre ton attention sur les extrémités de tes dix doigts ! Tu plies un peu les genoux et tu soulèves encore les talons quand tu projettes tes mains vers l'avant, dans un mouvement rapide mais doux. Ne soulève pas les épaules en faisant ce mouvement ! Lors de cette petite secousse, tu resserres un instant tes bras contre ton corps, et tu appuies de nouveau la plante des pieds fermement au sol. Tout le corps reste un court instant immobile, bien ancré dans cette position « à la terre » .

Remarque à propos de cet exercice :

Comme dans la première forme de l'entraînement (premier enchaînement), c'est l'énergie négative qui est attirée aux extrémités des doigts, et qui va être projetée hors du corps par une secousse. Le Qi neuf doit en principe stationner dans les mains. Il se dissiperait, si tu ouvrais les mains trop tôt ou trop largement. Avec cet exercice, tu renforces ta vitalité, et tu améliores ton état de santé, par purification des poumons en particulier.

La collecte du Qi de part et d'autre (ill. 88-90)

Détends les doigts et ouvre tes mains ! Pense Laogong ! Tu plies les genoux, comme pour t'asseoir. Etends doucement les bras et remonte-les lentement en avant de ton corps. Imagine que tes mains sont comme des récipients qui portent l'énergie fraîche vers le haut. Tes mains en s'élevant se rapprochent un peu l'une de l'autre. L'énergie se déverse à présent par Laogong dans Tianmu (« l'œil du ciel »). Rapproche les mains de ton front et fais-les redescendre lentement jusqu'à hauteur du nombril !

Remarque à propos de cet exercice :

Le Qi frais qui se trouve dans tes mains est ici transmis au corps à travers Tianmu et il est conduit ensuite jusqu'au Dantian. Ce faisant, il ne faut pas que les mains touchent le corps, pour ne pas parasiter le flux énergétique par des attouchements.

2ème enchaînement (suite)

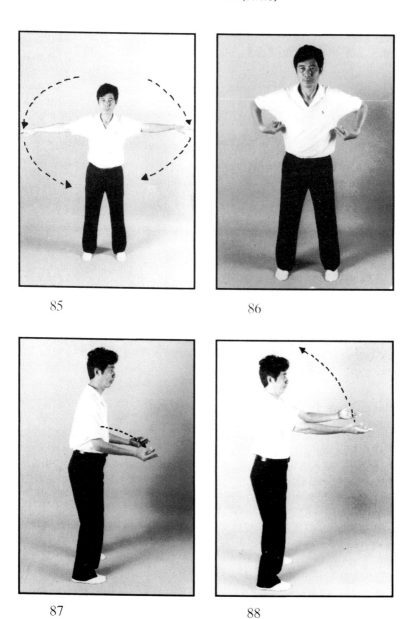

85

86

87

88

Illustrations 85-88

Illustration 89

Illustration 90

Les colonnes du ciel et de la terre (ill. 91-110)

Tu as maintenant les deux mains à la hauteur du nombril, paumes tournées vers le bas. Déplace lentement tout le corps de 45 degrés vers la gauche ! En même temps tu soulèves le pied gauche, et tu fais un pas en avant, en diagonal. Tu reposes d'abord les orteils. Pendant ce temps les deux bras s'ouvrent de côté, et les paumes se tournent vers l'arrière. Dirige ton attention sur Laogong ! Et retourne tes paumes de mains vers l'avant ! Appuie souplement le pouce le long de l'articulation médiane de l'index ! Tous les doigts sont alors en contact les uns avec les autres, si bien que la main prend la forme d'une cuillère un peu aplatie. Mains, bras et épaules, forment une ligne souple (ill. 91-93).

Le poids du corps est bien réparti sur les deux jambes. Dirige ton attention sur le point gauche de Laogong et ramène ta main gauche toujours très lentement, devant le sein droit ! Le point gauche de Laogong est alors en contact avec Qihu, un point d'acupuncture du méridien de l'estomac, qui se trouve à peu près à un doigt au-dessous de la clavicule. La main ne doit pas toucher le corps.

Lors de ce mouvement, le buste a tourné de 90 degrés vers la droite, et maintenant il tourne de nouveau de 90 degrés vers la gauche. La main droite se rapproche du sein gauche. De l'énergie toute fraîche est ainsi transmise du point droit de Laogong au point Qihu. Reste un moment dans cette position les bras croisés (ill. 94-95) !

La respiration poursuit son rythme naturel. La main gauche, celle qui se trouve le plus près du corps, se libère alors et glisse vers le bas, sous le coude droit, puis le Laogong intérieur caresse tout du long la face externe du bras droit en remontant vers la gauche. Ensuite tu écartes les mains l'une de l'autre en faisant faire un mouvement semi-circulaire ascendant au bras gauche et descendant au bras droit. La main gauche est toujours en forme de cuillère et la paume des mains est dirigée vers le ciel. La main droite doit autant que possible se trouver sous le coccyx et cette « cuillère » droite est tournée vers la terre.

Voici donc formée la « colonne du ciel et de la terre » (ill. 96-98). C'est par les deux points Laogong que tu envoies de l'énergie vers le ciel et vers la terre.

Reste alors dans cette position, détends les bras, et reprends de l'énergie par les deux Laogongs ! En même temps, tu reportes

91

92

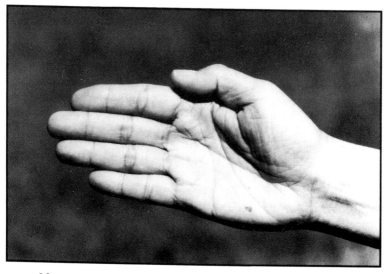

93

Illustrations 91-93

94

95

96

97

Illustrations 94-97

Illustrations 98-101

le poids du corps sur la jambe gauche, en penchant un peu le haut du corps vers l'avant. Et tu fais faire au pied droit sur sa pointe, une rotation de 180 degrés vers la droite, de telle sorte que les deux talons se retrouvent maintenant côte à côte sur une même ligne. La rotation sera complète, quand tu auras fait tourner le talon gauche en t'appuyant sur la pointe du pied gauche. Le poids se trouve de nouveau réparti entre les deux jambes.

Au cours de la rotation, tu ouvres les bras, et tu les amènes, paumes tournées vers l'avant, jusqu'à hauteur des épaules. Puis tu retournes les paumes vers l'arrière. Bras, mains, et épaules sont sur une même ligne, et détendus. Pense Laogong (ill. 99-101) ! Les deux mains sont encore en forme de cuillère.

Répète cet exercice avec le bras droit ! Tu fixes ton attention sur Laogong à droite et tu fais décrire à ton bras un quart de cercle de 90 degrés vers la gauche. La main droite reste à 2 cm environ du sein gauche. Imagine le Qi positif qui s'écoule par Laogong dans le point de l'estomac Qihu sous la clavicule gauche !

Puis c'est au tour du bras gauche. Pense Laogong à gauche et amène ta main en avant du point Qihu de droite !

Reste un moment les bras croisés ainsi, avant de détacher la main droite qui est la plus proche du corps ! Tu fais redescendre ta main jusque sous le coude gauche et tu laisses Laogong passer doucement, le long de la face externe du bras gauche, sans attouchement. Ecarte les mains et les bras et forme de nouveau la « colonne du ciel et de la terre » ! La main droite se trouve paume vers le ciel, la gauche, sous le coccyx, paume vers la terre (ill. 102-106). Expulse encore le Qi par les points Laogong !

Défais ensuite cette « colonne du ciel et de la terre », en détendant tes mains et récupère de nouveau le Qi pour ton corps ! Reporte ton poids sur la jambe droite, tourne le pied gauche vers l'intérieur en effectuant la rotation sur la pointe du pied, et remets le pied droit dans sa position de départ ! En même temps tu relâches les bras, et tes mains abandonnent leur forme de cuillère.

Le corps a repris sa position initiale orientée vers le sud. Les bras vont lentement vers l'avant et collectent ainsi tout le Qi grâce aux points Laogong. Ce Qi, quand tu ramènes lentement les mains vers le corps, va être de nouveau centré dans le Dantian. Puis les mains vont se relâcher de chaque côté du corps et descendre vers le bas. Le menton se trouve à la verticale du

102

103

104

105

Illustrations 102-105

106

107

108

109

Illustrations 106-109

Illustration 110

nombril. Tu te tiens exactement comme si tu voulais t'asseoir. Perçois bien l'effet de cet enchaînement en toi ! (ill. 107-110).

Remarque à propos de cet exercice :

Avec cette « colonne du ciel et de la terre », tu entres précisément en contact avec le ciel et la terre : tu envoies ton énergie interne vers le ciel par Laogong en position haute et vers la terre par Laogong en position basse. Tes énergies internes se fondent dans celles externes du « Grand Univers ».

A cette position très Yang, parce que tournée vers l'extérieur, va succèder un temps de récupération de l'énergie vers l'intérieur, toujours par Laogong. La collecte finale de l'énergie dans le Dantian empêche entre autre qu'il y ait une montée trop importante d'énergie dans la tête, et qu'elle n'y stagne.

Chez les débutants on peut observer parfois des effets secondaires désagréables, si bien qu'il est vivement recommandé de reconduire l'énergie vers le Dantian. C'est le cas par exemple, si l'on a des maux de tête ou des vertiges.

La collecte du Qi dans le Dantian à la fin d'un exercice se passe de la façon suivante : si on laisse tomber les épaules, bien détendues, le Qi descend. La boule d'énergie est alors centrée dans le Dantian. Le mouvement de retrait vers l'arrière du coccyx, en même temps que la contraction prudente de la sangle abdominale, aident à concentrer le Qi dans le Dantian.

La position finale doit être sans retenue. Le corps, l'esprit et l'âme sont en paix avec eux-mêmes, et laissent l'enchaînement produire tout son effet. Chacun doit trouver son propre rythme, en fonction de ses besoins et de son expérience personnelle.

Troisième enchaînement

La Tête de la Grue et la Gueule du Dragon aident le Qi à circuler dans le petit circuit

Préparation (ill. 111)

Les pieds sont parallèles, à une distance d'une vingtaine de centimètres l'un de l'autre. On peut laisser les genoux se toucher, la position doit être confortable. Prends à nouveau le temps qu'il te faut pour te mettre dans l'ambiance, comme pour les deux premières formes d'exercices. Souris-toi à toi-même, et laisse ta respiration trouver son propre rythme !

Dans ce troisième enchaînement, l'énergie est menée un peu différemment par rapport aux 4 autres enchaînements. Fixe ton attention en Baihui, et à travers ce point tu prends de l'énergie nouvelle et tu la conduis jusqu'au Dantian, où elle reste un court instant ! Laisse passer l'énergie par Huiyin, Mingmen et Dazhui, et conduis-la sans effort particulier le long du Dumai, en passant par Yamen, Baihui, Yintang et Renzhong, qui est l'extrémité du Dumai sous le palais. L'énergie continue de descendre grâce à la langue qui touche le palais, et qui sert ainsi de pont, jusqu'au Chenjiang, le point de départ du Renmai. Concentre-toi sur ce point entre menton et lèvre inférieure !

La Tête de la Grue (ill. 112-114)

Le menton va être tiré comme par un fil à la diagonale vers l'avant sur une trajectoire à 45 degrés par rapport au corps. Pense Chenjiang ! On peut aussitôt sentir une tension sensible dans le cou au point Dazhui. Attire doucement le menton vers le corps en le rentrant et pense Dazhui ! Puis tu redresses la tête maintenant bien droite et tu penses Baihui. Plie en même temps encore davantage les genoux ! On rentre un peu le menton, d'où apparition naturelle d'un double menton. Les épaules tombent souplement. Le haut du corps est droit. Tu vas réaliser ce mouvement par 3 fois, et chaque fois tu plieras un peu plus les genoux. En même temps imagine que le Qi retourne de Chenjiang vers

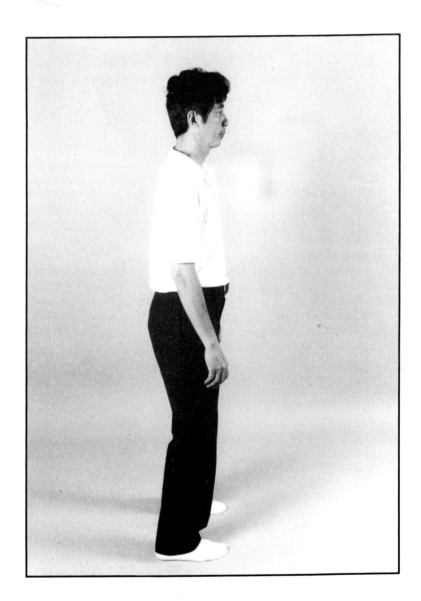

Illustration 111

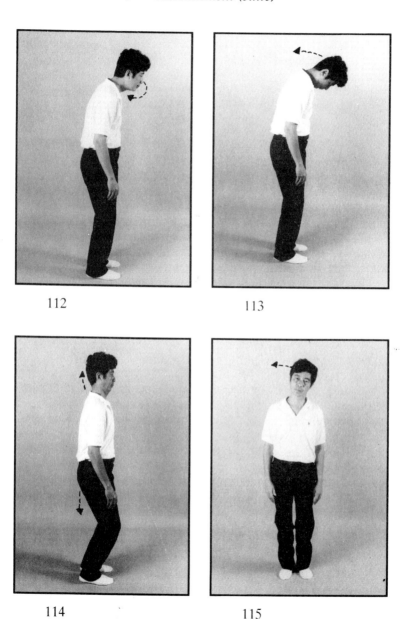

112

113

114

115

Illustrations 112-115

Dazhui, puis qu'il continue vers Baihui en décrivant un petit cercle !

La Tête du Dragon (ill. 115-116)

Fixe ta pensée sur les points Weilui (coccyx) et sur les deux Qinlung-qiaos (les cornes du dragon, à la droite et à la gauche de Baihui) ! Maintenant penche la tête vers la gauche et pense à ton coccyx et à la corne du dragon de gauche ! Puis penche la tête vers la droite et pense à la corne du dragon de droite ! Exécute ainsi ce mouvement de tête par 3 fois de chaque côté à tour de rôle, tout en te redressant bien droit !

Remarque à propos de cet exercice :

Les mouvements du cou et de la tête sont inspirés des mouvements que fait la grue naturellement. La mâchoire inférieure représente là le bec de l'oiseau. Ces mouvements servent à ouvrir le « petit circuit » formé par les voies Renmai et Dumai. En avançant le « bec », l'énergie Yin descend le long du Renmai. Avec le retrait du menton, c'est l'énergie Yang qui reflue vers le haut. Le Yin dans sa chute fait monter le Yang. Avec le temps, c'est tout le « petit circuit » qui va se mettre en mouvement.

L'inclinaison de la tête de côté ne doit pas devenir un simple mouvement de va-et-vient, mais ce doit être un mouvement concentré, et cependant reste détendu et joyeux. Adresse ton sourire à toi-même, à ta tête, à ton cou ! Tu pourras là éviter des maladies du cou, les guérir même ou traiter des maux de tête.

Il est bon d'ouvrir Baihui. Car si ce point est ouvert, c'est la peau, la chair, les muscles, les os, les veines, et tous les organes et les voies de l'énergie qui en tirent bénéfice. Par la relation établie entre les deux points du dragon et Weilui (le coccyx), dans ce mouvement d'oscillation ascendante, « l'esprit va être purifié » .

Le Qi est reconduit par 2 fois (ill. 117-121)

Fais maintenant descendre le Qi depuis Dazhui jusqu'à Lao-gong ! Fixe ton attention sur ce point, et relâche tes doigts, en ouvrant les mains ! Ce sont désormais comme des louches qui puisent le Qi renouvelé. Tes genoux sont pliés. Monte lentement tes bras tendus en avant de ton corps : l'énergie va s'écouler de

3ᵉᵐᵉ enchaînement (suite)

116

117

118

119

Illustrations 116-119

Laogong vers Tianmu. A hauteur d'yeux, ouvre tes coudes de chaque côté ! Tes mains continuent encore un peu leur ascension, et se rapprochent l'une de l'autre. Fais descendre l'énergie jusqu'au Dantian !

Les deux mains sont maintenant au niveau du méridien Daimai et elles vont faire le tour de la taille, sans toutefois toucher le corps, comme dans un mouvement de nageoires. Une fois dans le dos, les paumes se tournent vers le nord, tandis que le dos des mains se trouve sur les points Senshu (environ à 3 doigts de chaque côté de Mingmen). Les mains se touchent, avec les pouces l'un à côté de l'autre, ou même l'un sur l'autre. Plie encore davantage les genoux !

Remarque à propos de cet exercice :

En pliant les genoux, on excitera Mingmen et en même temps on activera toute la circulation dans le « petit circuit ». Les reins sont les premiers bénéficiaires de cet exercice, car les points Laogong sont ouverts vers le nord. D'autre part, les points Senshu se trouvent sur le méridien de la vessie, qui lui-même est en relation de partenariat étroit avec le méridien des reins. Ce sont donc les méridiens de la vessie et des reins qui sont ainsi sollicités de façon positive.

Rotation bilatérale des hanches (ill. 122)

Pense Mingmen et commence maintenant une série de 3 circonvolutions des hanches, dans le sens des aiguilles d'une montre ! Le demi-cercle antérieur doit être conduit par le bas du ventre, de gauche à droite en passant par l'avant, et le demi-cercle postérieur par le coccyx, de droite à gauche en passant par l'arrière. Pour cette rotation il faut bien détendre la région des hanches. Ce n'est que dans ce cas que le mouvement pourra être exécuté avec profit par le bas du ventre et par le coccyx. Puis refais la même chose mais en sens inverse, 3 fois de suite.

Remarque à propos de cet exercice :

Ce point Mingmen — « la porte de la vie » — est une sorte de « gare de triage » importante dans le réseau dense des voies de circulation de l'énergie. Il est le « maître » des 12 méridiens. Si tu l'ouvres bien, ce sont les 12 méridiens qui en tireront partie. Quant à la hanche, elle représente un point d'appui pour tout le

120

122

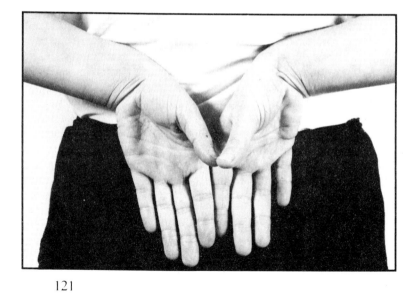

121

Illustrations 120-122

corps. En faisant rouler les hanches et le coccyx, on régule donc la fonction de l'intestin grêle et du gros intestin, et on excite l'activité des reins tout en décongestionnant les organes sexuels. C'est ainsi que le Qi pourra mieux remonter le long du Dumai, mieux alimenter le cerveau et développer les facultés de concentration. On peut donc par là influer sur l'intellect. Dans la tradition Chinoise on dit qu'« un Mingmen ouvert rend intelligent et sage » (citation de Cheung Chun Wa, Hong Kong,1986).

Quadruple rotation des genoux (ill. 123-128)

Referme Laogong à l'aide des pouces, et ramène tes mains le long de tes cuisses vers l'avant, puis tu les poses légèrement sur les genoux ! Relâche le pouce, les genoux se touchent ! Effectue alors des rotations des genoux, par 3 fois dans le sens des aiguilles d'une montre, puis par 3 fois en sens inverse. Poursuis ensuite la rotation des genoux mais cette fois 3 fois de l'intérieur vers l'extérieur, et vice-versa ! Fixe ton attention sur tes articulations des genoux, et garde ton regard bien droit devant toi !

Remarque à propos de cet exercice :

Grâce à la rotation des genoux, ce sont les voies de l'énergie qui s'ouvrent entre les hanches, les genoux et les pieds. Cela renforce les reins. Ce sont les reins qui portent entre autre la responsabilité de tout ce qui concerne le squelette et la production de la moëlle des os. Si les reins ne reçoivent pas assez d'énergie, les forces de résistance du corps sont affaiblies et il peut apparaître des signes de vieillissement prématurés, qui chez beaucoup de personnes se traduiront par une faiblesse des jambes. Cet exercice constitue donc une bonne prévention contre l'arthrite par exemple.

Le Qi s'écoule par certains points d'acupuncture précis (ill.129-131)

Considère Laogong comme l'axe autour duquel tu vas maintenant faire tourner chacune de tes mains de 90 degrés vers l'intérieur du genou, les doigts vers la face interne des jambes ! Appuie ton pouce sur le point d'acupuncture Xuehai (le lac de sang), qui se trouve un peu au-dessus de la rotule, sur la face interne de la cuisse (voire ill.129) ! Et tu plies en même temps tes genoux autant que tu le peux, comme si tu voulais t'asseoir sur

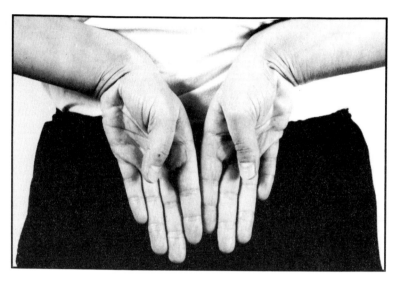

123

124

125

Illustrations 123-125

126

127

128

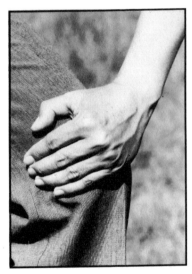

129

Illustrations 126-129

130

131

132

133

Illustrations 130-133

une chaise. Concentre ton attention sur tes genoux, ceux-ci ne devant en aucun cas pointer plus avant que ne le font les orteils ! Tu redresses le haut du corps aussi loin que possible et tu ouvres ta cage thoracique. Evite de cambrer ! Tu fais maintenant comme si tu voulais te lever de ta chaise. Les mains restent appuyées sur les genoux. Mains et genoux sont souples et décontractés. Pense Yungquan et refais par 3 fois consécutivement ce mouvement, de bas en haut et de haut en bas ! Ton regard reste orienté bien droit vers l'avant.

Remarque à propos de cet exercice :

Le fait de plier et de se redresser 3 fois de suite fait activer l'énergie dans les genoux. Cela ouvre les 3 méridiens Yin et Yang du pied, de même que les voies annexes Yinquiao, Yangquiao et Yangwei.

Quand on plie très profondément, le pouce appuie sur le point Xuehai du méridien de la rate. On fait ainsi passer l'énergie du méridien du poumon qui a son extrémité dans le pouce, au méridien de la rate. Par la respiration, les poumons envoient le Qi à tous les organes. Avec la pression du pouce sur Xuehai la rate reçoit un complément de Qi des poumons. Cela renforce les fonctions de la rate et de l'estomac et cela ouvre l'appétit. Cela a également un effet bénéfique pour tous problèmes de foie ou perturbations de la digestion.

La collecte bilatérale du Qi (ill. 132-137)

Maintenant redresse ton corps le plus possible de telle façon que les genoux restent encore légèrement pliés ! Détache tes mains et pense Laogong, en relevant tes bras tendus vers le haut ! Tu laisses le Qi passer de Laogong en Tianmu et tu l'accompagnes jusqu'au Dantian. Les mains devancent les coudes sur leur trajectoire vers le bas. Rassemble le Qi en décrivant un demi-cercle, et concentre-le dans le Dantian en le poussant des deux mains, comme décrit dans le premier enchaînement !

3ème enchaînement (suite)

134

135

136

137

Illustrations 134-137

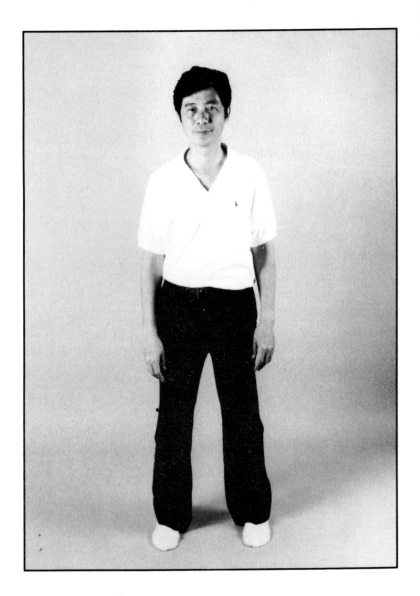

Illustration 138

Quatrième enchaînement
La Grue effleure l'eau

Préparation

Le sens de cet exercice est d'ouvrir Laogong, Mingmen, Dazhui et Yungquan, pour que le Qi puisse mieux circuler et que les organes reçoivent plus d'énergie. Les pieds sont parallèles et écartés d'une largeur d'épaules. On doit arriver à se détendre complètement, comme pour les 3 enchaînements précédents. La respiration doit trouver son rythme naturel.

La collecte bilatérale du Qi (ill. 138-140)

Laisse le Qi pénétrer dans ton corps à travers Baihui et descendre le long du Zhongmai jusqu'à Huiyin, puis remonter le Dumai jusqu'au Dazhui ! De là, il s'écoulera à travers les épaules, en passant par la face interne des bras jusqu'à Laogong. Fixe ton esprit sur Laogong et accompagne le Qi renouvelé les bras tendus en remontant jusqu'à la hauteur où le Qi peut passer en Tianmu ! De là conduis le Qi en redescendant jusqu'au Dantian !

La Grue effleure l'eau pour la première fois (ill. 141-142)

Lève tes bras tendus et parallèles, paumes de main tournées vers le bas, jusqu'à la hauteur des épaules. En même temps tu soulèves la jambe gauche, jusqu'à ce que la cuisse se trouve à peu près à 45 degrés du sol. Le bas de la jambe pend, relâché. La pointe du pied est orientée bien souplement vers le sol. Pense Laogong, Yungquan et Mingmen ! Plie le genou droit, comme si tu voulais t'asseoir, tu descends avec l'ensemble du corps ! Ne modifie pas la position de la jambe gauche ! Le pied gauche va donc effleurer très légèrement le sol, « la surface de l'eau ».

Après ce léger effleurement, tout le corps va se redresser. La « grue » effleure l'eau de cette façon 3 fois de suite. Les bras s'agitent alors légèrement comme des ailes, montant et descendant de la hauteur des sourcils à la hauteur du nombril.

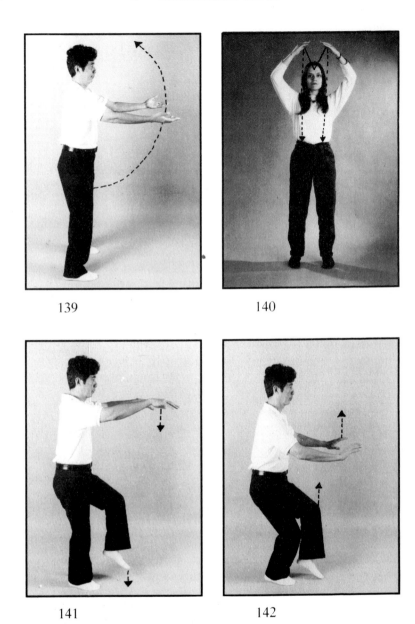

139 140

141 142

Illustrations 139-142

Remarque à propos de cet exercice :

La jambe soulevée reste passive, comme le reste du tronc. C'est la seule jambe d'appui qui conduit le mouvement montant et descendant.

La Grue effleure l'eau en plein vol pour la première fois (ill. 143-149)

Ouvre les bras de chaque côté du corps ! Les mains doivent être inclinées à 45 degrés, pouces vers le bas. Tends la jambe d'appui et la jambe gauche en faisant un petit pas vers l'avant ! Tu poses le talon gauche devant les orteils du pied droit. Puis tu rapportes le poids du corps sur la jambe gauche et tu soulèves la jambe droite. La plante du pied est dirigée vers l'arrière, et la pointe du pied vers le bas (à une distance d'environ un poing de l'autre talon).

Les doigts des mains prennent la position dite « de l'épée ». Bras et épaules sont sur une même ligne. L'énergie se déplace entre les mains aux doigts en épée, en passant par Dazhui. Commence le mouvement d'abord par la main gauche, puis par la main droite : tu attires la main et l'avant-bras vers l'épaule et tu les étends de nouveau. Les bras ne doivent se retendre que lorsque le haut du bras est à 45 degrés du corps. Fais ce mouvement 3 fois de suite ! Au moment où l'on étend les bras, l'attention est fixée sur les « doigts en épée ». Ensuite forme avec tes mains la « tête de la grue », en posant le majeur sur la racine de l'ongle de l'index !

Ouvre les mains, paumes vers le bas, et descends l'ensemble du corps dans cette position jusqu'à ce que le bout du pied droit touche à peine le sol. Répète le mouvement 3 fois de suite ! En même temps tu fais aller et venir tes bras comme des ailes, entre la hauteur de tes yeux et celle de ton nombril. La force des épaules permet le soulèvement des ailes, et leur relâchement, l'abaissement des ailes. Ce faisant, tu prends conscience de Mingmen, Laogong et Yungquan.

La Grue effleure l'eau pour la deuxième fois (ill. 150-153)

Descends les bras sur le côté et fais-les remonter ensuite par devant, paumes tournées vers le bas, jusqu'à la hauteur des épaules ! En même temps avance la jambe droite et soulève-la

143

144

145

146

Illustrations 143-146

4ème enchaînement (suite)

Illustration 147

148

149

150

151

Illustrations 148-151

Illustration 152

jusqu'à un angle de 45 degrés du sol ! Le bas de la jambe pend alors souplement. Plie la jambe d'appui jusqu'à ce que le pied droit effleure à peine le sol ! La jambe droite reste immobile. Les bras se lèvent et s'abaissent comme des ailes. Il faut répéter le mouvement 3 fois de suite. Pense alors Laogong, Yungquan et Mingmen.

La Grue effleure l'eau en plein vol pour la deuxième fois (ill. 154-158)

Ouvre tes bras et fais leur décrire un demi-cercle de chaque côté du corps ! Les mains sont alors inclinées à 45 degrés, le pouce vers le bas. Il faut tendre ta jambe d'appui et la jambe droite pour faire un petit pas vers l'avant. Pose le talon droit devant les orteils du pied gauche ! Passe le poids de ton corps sur ta jambe droite et lève ta jambe gauche ! Le pied gauche se trouve à une distance approximative de 10 cm en arrière de ta jambe droite, orteils dirigés vers le bas, plante des pieds vers l'arrière.

Tes doigts sont mis dans la position de l'épée. Bras et épaules sont sur une même ligne. L'énergie va de « l'épée » d'une main à l'autre, en passant par Dazhui.

Commence à attirer ta main gauche d'abord, puis ta main droite, vers l'épaule, puis retends-les ! Il faut répéter ce mouvement par 3 fois. Tu te concentres, quand tu rallonges le bras, sur tes doigts en épée. Puis tu reformes la « tête de la grue » et tu restes ainsi un petit moment.

Ensuite tu ouvres les mains, et tu descends et remontes tout le corps, à 3 reprises. Pense alors Yungquan, Mingmen et Laogong !

Tu te baisses jusqu'à ce que la pointe de ton pied gauche effleure légèrement « l'eau ». Tes bras s'agitent alors comme des ailes, montant et descendant entre la hauteur de tes yeux et la hauteur de ton nombril. Les ailes se soulèvent par la seule force des épaules, et elles s'abaissent par leur relâchement. Le buste ne bouge que par le mouvement imprimé à tout le corps par la jambe d'appui.

4ème enchaînement (suite)

153

154

155

156

Illustrations 153-156

Illustration 157

158

159

160

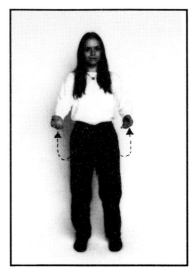

161

Illustrations 158-161

162

163

164

165

Illustrations 162-165

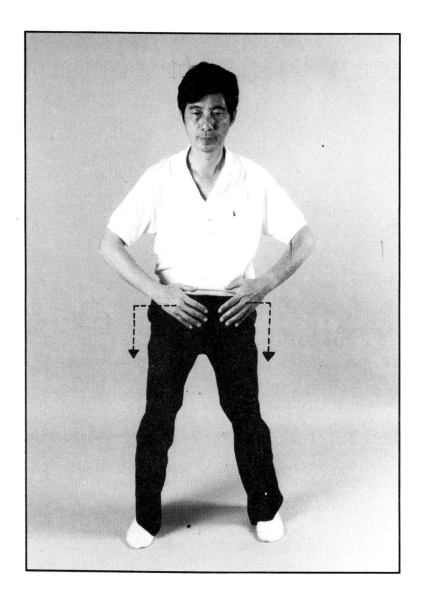

Illustration 166

La collecte bilatérale du Qi et son accompagnement (ill. 159-166)

Le poids de ton corps se trouve toujours sur ta jambe droite. Pose maintenant le pied gauche sur le sol à une largeur d'épaules de l'autre pied et répartis bien ton poids sur tes deux jambes ! Baisse les bras lentement vers le bas, jusqu'à un angle de 20 degrés par rapport au corps ! Plie tes genoux, comme si tu voulais t'asseoir ! Tu détends les mains, et tu penses Laogong, tu lèves lentement les deux bras tendus. Tes mains sont comme des louches qui ramassent et protègent le Qi frais. Laisse le Qi s'écouler de Laogong à Tienmu, et reconduis-le en redescendant vers le Dantian ! Collecte ainsi le Qi et concentre-le dans le Dantian ! Insiste dans cette position un court instant pour laisser agir en toi le « Vol de la Grue » !

Remarque à propos de cet exercice :

Ce 4ème enchaînement est le cœur même de cet art du Qi Gong, qui représente si joliment le vol de la grue. La grue est imitée là précisément dans ses mouvements de vol et d'effleurement de l'eau. Les bras servent d'ailes, et les jambes sont comme des pattes, un peu longues et semblables à des échasses. Quand tu imites le vol ou l'effleurement de la surface de l'eau par la grue, essaie de bien sentir l'impression de légèreté et d'apesanteur ! Tes bras bougent sans bruit, comme les ailes de la grue. Le bref effleurement de l'eau ouvre en principe l'ensemble des méridiens du corps. En baissant les mains, c'est l'énergie négative que l'on expulse par Laogong, et en élevant, c'est de l'énergie fraîche que l'on inspire, toujours par Laogong (c'est la respiration Laogong).

Par les deux Yungquan on fait également l'échange : mauvaise énergie contre bonne énergie, au moment de l'effleurement de l'eau.

Quand le corps bouge de haut en bas au moment de l'effleurement de l'eau, Mingmen est alors ouvert. Mingmen est entre autre un point de contrôle et un bassin d'accumulation d'énergie pour les reins. Ce point met en harmonie le Yang du rein gauche avec le Yin du rein droit.

Cinquième enchaînement
Retour à l'unité cosmique

Préparation

Les pieds sont parallèles, avec le même écartement que les épaules. Observe les mêmes préceptes de préparation que pour les 4 premiers enchaînements, et donne à ta respiration le temps et l'espace !

Le Qi est reconduit par 2 fois (ill. 167-170)

Absorbe du Qi frais par Baihui et laisse-le descendre à travers le Dantian et couler par Huiyin, Mingmen, Dazhui et le long de la face interne des bras jusqu'à Laogong ! Centre ton esprit sur Laogong ! Tu plies les genoux, comme si tu voulais t'asseoir. Tu lèves lentement les bras tendus. Les mains portent le Qi nouveau vers le haut et le déversent par Laogong en Tianmu. De là tu le conduis au Dantian. Tes mains vont lentement descendre en avant du corps jusqu'au nombril.

Regards de gauche et de droite (ill. 171-172)

Tourne le haut du corps de 90 degrés, la tête de 180 degrés et les bras, vers la gauche ! Rabats légèrement le dos de la main gauche sur Mingmen et regarde aussi loin que possible vers l'arrière, par-dessus ton épaule gauche ! Ta main droite décrit un arc de cercle ascendant devant la poitrine jusqu'à l'épaule où elle est légèrement basculée par une petite secousse. La paume de la main et le pouce se retrouvent orientés vers le haut, le coude vers le bas.

Exécute la même rotation vers la droite ! Rabats vivement ta main droite sur Mingmen et lève ta main gauche que tu renverses légèrement par-dessus l'épaule ! Paume et pouce vers le haut, coude vers le bas. Regarde par-dessus ton épaule droite vers l'arrière ! Refais ces rotations 3 fois chacune ! Pendant la rotation à gauche, pense Mingmen et Laogong droit, et pendant la rotation droite, Mingmen et Laogong gauche !

167

168

169

170

Illustrations 167-170

Illustration 171

Remarque à propos de cet exercice :

Les rotations servent à ouvrir Dazhui, Mingmen, les 3 méridiens Yang et les 3 méridiens Yin de la main, des poumons, du gros intestin, du péricarde, du triple foyer, du cœur et de l'intestin grêle. Le flux d'énergie absorbe du Qi frais, pendant que l'autre main en se rabattant d'un mouvement vif ouvre Mingmen. Le pouce dirigé vers le haut est sensé protéger l'oreille de trop de fortes ondes de Qi.

L'activation des 3 méridiens Yang et Yin du pied (ill. 173-182)

Les genoux sont pliés, comme si tu voulais t'asseoir. Reste un moment ainsi, bien souple et décontracté. Tu poses ensuite avec légèreté tes mains sur les hanches, le pouce tourné vers l'arrière et tu diriges ton attention vers Yungquan.

Soulève ta jambe gauche — toujours en pensant Yungquan — et tends-la en avant, jusqu'à ce que le haut de la jambe se trouve à 45 degrés par rapport au sol ! Tu étires les orteils et tu concentres ta pensée sur ton coup de pied. Puis tu fléchis le bout du pied qui doit maintenant pointer vers le haut. La jambe reste tendue.

Maintenant tu te concentres sur le talon. Replie ta jambe gauche pour que le bas de la jambe tombe à la verticale ! D'un mouvement vif, tu retends la jambe comme si tu voulais donner un coup de pied autour de la cheville 3 fois de l'intérieur vers l'extérieur, et 3 fois en sens inverse. Fixe ton attention sur la cheville !

Puis, après la sixième rotation, tu reposes le pied dans la position initiale et tu penses très fort Yungquan. Reste un moment sans bouger ! Puis tu soulèves l'autre jambe, la droite, et tu répètes avec cette jambe tous les mouvements que tu viens de faire avec la jambe gauche.

Après la dernière rotation de pied, tu reposes ton pied droit sur le sol et tu restes un moment bien décontracté, genoux pliés. Toute ton attention est centrée sur Yungquan.

Remarque à propos de cet exercice :

Lorsqu'on étire les orteils, ce sont les 3 méridiens Yang du pied — celui de l'estomac, celui de la vessie et celui de la vésicule biliaire — que l'on active. Lorsque l'on fléchit la pointe du pied et que l'on étire en même temps le talon, c'est au tour des

172

173

174

175

Illustrations 172-175

176

177

178

179

Illustrations 176-179

Illustration 180

181

182

183

184

Illustrations 181-184

3 méridiens Yin du pied — du foie, de la rate, et des reins — d'être concernés. Lorque l'on fait tourner le pied et que l'on se concentre sur la cheville, ce sont les deux voies particulières Yingquiao et Yangquiao que l'on sollicite.

Le retour à l'unité cosmique (ill. 183-187)

Tu te tiens décontracté, les genoux droits, et tu laisses l'énergie couler dans Laogong. Ouvre tes pied à la terre et pense Yungquan ! Lève tes deux bras, lentement, jusqu'à l'horizontale sur le côté gauche, et étire les : le bras gauche est alors tendu ; le bras droit, légèrement plus bas que l'épaule, fait un angle (les coudes restent souples).

Maintiens tes deux épaules inclimées à 45 degrés vers le sol et prends conscience de chacun de tes dix doigts tendus. Maintenant tu décris un grand cercle vers la droite, si bien que tu as l'impression d'embrasser toutes les directions. Fais-le par 3 fois à la suite.

La hanche est l'axe de rotation. Reste bien l'esprit en éveil par rapport aux quatre orientations principales, pour établir la liaison !

Puis quand tes bras se retrouvent à gauche après le 3ème cercle, inverse le mouvement et exécute-le vers la gauche, soit de gauche à droite en passant par le bas, puis vers le haut et retour vers la gauche ! Chaque fois, sur la trajectoire descendante, tu tournes les paumes des mains de 90 degrés vers l'arrière, si bien qu'elles se trouveront inclinées à 45 degrés par rapport au sol.

Quand tu as terminé toute les circonvolutions, tu relâches tes doigts, tes mains, tes bras et tout le corps. Laisse les bras aller lentement vers le bas, jusqu'à ce qu'ils soient en angle de 20 degrés par rapport au corps !

Remarque à propos de cet exercice :

Ce 5ème enchaînement est particulièrement important, car il implique encore une fois l'ensemble du corps et assouplit toutes les articulations. Pendant les circonvolutions tu expulses de l'énergie de tout le corps par l'intermédiaire de tes doigts tendus.

En relâchant tout le corps après avoir exécuté les cercles, tu réinsuffles à ton corps de l'énergie nouvelle, enrichie par le Qi cosmique, qui passe par le bout de tes doigts et les Laogong.

Illustration 185

5ème enchaînement (suite)

186

187

188

189

Illustrations 186-189

Sois radieux, avec le sentiment que tu as établi une relation avec le grand cosmos extérieur, mais aussi que tu as entrepris une sorte de voyage à l'intérieur de toi-même !

Ces exercices n'auront pas seulement un effet sur ta santé et la prévention de maladies, mais ils agiront de façon positive sur ton esprit. Peut-être te sens-tu maintenant léger et satisfait. Il est très important que tu te détendes bien après avoir relâché tes doigts, tes mains, tes bras et tout le corps.

La collecte bilatérale du Qi et sa reconduction (ill. 188-194)

Le corps est complètement détendu. Genoux pliés. Tourne les paumes des mains vers l'avant et remonte lentement les bras tendus en un demi-cercle en avant de toi ! Dans chaque main ce sont de petites boules d'énergie qui sont conduites vers le haut. Laisse le Qi couler de Laogong en Tianmu, et reconduis-le dans un mouvement synchrone des mains vers le bas jusqu'au Dantian ! Puis tu décriras un demi-cercle avec tes mains et tu rassembleras de nouveau le Qi : appuie cette boule d'énergie imaginaire au 1/3 dans le Dantian et maintiens tes mains parallèles à une distance d'environ 20 cm en avant du Dantian. En pensée, tu collectes le Qi de toutes parts, c'est-à-dire :

— du bas, par la prise de conscience et la contraction du bas de ton ventre sur Huiyin,

— du haut, par le relâchement des épaules,

— de l'avant, par la poussée de la boule d'énergie,

— et de l'arrière, par un léger mouvement d'avancée du coccyx.

Reste un moment dans cette position, avant de laisser partir tes mains de côté et de les laisser descendre ensuite ! Laisse alors les 5 enchaînements agir en toi ! Perçois bien en toi l'énergie qui circule et te réchauffe agréablement. Elle te fait du bien. Profite de cette sensation de bien-être et n'oublie pas ton sourire intérieur !

190

191

192

193

Illustrations 190-193

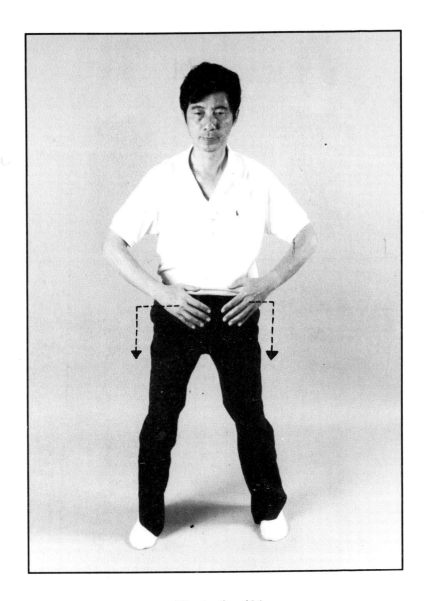

Illustration 194

Chapitre 10

La 6ème forme
ZIFA-GONG,

un mouvement issu du silence et de l'immobilité, induit par le Qi.

Qui connaît la source du Qi véritable ?

Astrid Schillings

Avec cette forme d'exercice tu vas approcher l'une des nombreuses formes du Qi Gong du silence. Ce que je vais décrire là a été mis au point par Zhao Jin Xiang et construit à partir des 5 formes actives d'exercice du « Vol de la Grue », que nous avons vues. Celles-ci représentent la base du mouvement qui va être comme directement téléguidé par le Qi. C'est en ce sens que le 6ème exercice est un enchaînement sans forme particulière, car le Qi conduit directement le mouvement -sans directives.

Les 5 formes actives de Qi Gong reposent sur l'idée d'ouverture des voies et des points d'énergie. Ce qu'il y a d'original dans ce Qi Gong, c'est qu'il intéresse non seulement les fonctions et les organes déjà détériorés, mais aussi l'organisme sain. Chez bien des personnes, il faudra compter 40 à 50 heures d'entraînement — chez d'autres par contre, seulement une dizaine peut-être — pour que le Qi commence véritablement à circuler convenablement dans les méridiens. Le signe annonciateur en est par exemple une sensation d'engourdissement, de chaleur, de froid, d'étirement, de picotement, de légèreté ou de lourdeur.

Il n'est en réalité possible qu'à très peu de personnes de commencer à pratiquer la 6ème forme de Qi Gong juste après avoir appris les 5 premiers enchaînements actifs. Ces personnes ont leurs méridiens déjà plus réceptifs, plus perméables.

Il faut en effet un minimum de réceptivité et de perméabilité, ainsi qu'une certaine capacité à capter et à laisser aller l'énergie pour entreprendre l'apprentissage de cette 6ème forme.

Zhao Jin Xiang parle de «sollicitation de l'esprit et d'apaisement du cœur ». Après des années d'observation, il pense maintenant lui-aussi que la sagesse du cosmos se reflèterait directement dans notre corps. Il comprend par là l'action en nous du Qi véritable, car ce Qi régit les mouvements internes et externes exactement comme le nécessite un processus de guérison. Le Qi véritable détecte nos blocages, les engorgements et les paralysies de notre corps, il les traite et il les résout. Ceci se produit grâce au mouvement interne et externe engendré et dirigé par le Qi véritable. Ici le diagnostic devient en même temps traitement.

Chacun des mouvements qui vont apparaître, lors de cette 6ème forme d'exercice, sera en relation directe avec une perturbation de l'organisme. Dans le processus d'auto-guérison, certaines personnes ne pourront s'empêcher de se secouer dans tous les sens selon la perturbation dont elles souffrent. Certaines vont se mettre à danser, à tourner, à sauter, à trembler, à rire ou à pleurer. Il se peut aussi que certaines personnes exécutent des mouvements circulaires ou rythmiques de tout le corps (en particulier de la colonne vertébrale), ou qu'elles chantent, qu'elles fredonnent des sons ou qu'elles produisent des bruits.

Certaines vont frapper l'organe malade de leurs mains, ou bien un point d'énergie bloqué, ou bien vont se masser. D'autres encore vont « effacer » la maladie de leur corps. Parfois aussi elle vont se mettre à tourner et à bouger un seul membre dans tous les sens.

Il se peut aussi que l'organisme n'ait en fait besoin que d'une station debout ou assise, immobile et silencieuse. En cas de lésions bénignes, le simple écoulement retrouvé du Qi peut parfaitement suffire, sans qu'on ait recours à aucun mouvement visible extérieur.

Mais qu'entend-on exactement par l'expression mouvement extérieur et mouvement intérieur ? Quand ta pensée, ta respiration et l'ensemble de ton corps se décrispent et que tu laisses aller tranquillement tes pensées dans le Dantian inférieur, le Qi commence à circuler dans le corps. C'est ce que l'on appelle le mouvement intérieur.

Si le Qi rencontre une résistance — maladies, blocages, obstructions — il va se concentrer dans les zones touchées pour réouvrir les canaux, mais aussi libérer les plus fines voies de communication intermédiaires. C'est de là qu'émane le mouvement extérieur, aussi appelé Zifa-Gong, le Gong spontané.

Souvent, ces mouvements extérieurs n'interviennent que très lentement chez les débutants. Cela provient sans doute du fait que le « moi-censeur » essaie de s'immiscer dans le mouvement, lui qui se permet de juger et d'influencer nos actions.

Avec le temps, les mouvements extérieurs vont s'amplifier et se développer. Cela dépend aussi du degré de maladie et de l'état d'esprit de la personne concernée, et de sa capacité à laisser faire les choses. Chaque mouvement a sa signification propre et une relation directe à une tension du corps ou de l'esprit.

Chez presque tout le monde, il y a aussi ce que l'on pourrait appeller un mouvement involontaire qui se produit dans le Qi Gong « du silence intérieur ». A peu près personne ne se trouve en si parfaite santé — de corps ou d'esprit — qu'aucun mouvement de ce genre ne survienne. Les quelques personnes auxquelles cela pourrait arriver, peuvent immédiatement passer à la deuxième phase de l'exercice — l'immobilité ou la méditation. L'absence de ce mouvement sans aucun contrôle peut également signifier que le Qi n'a pas la possibilité de circuler sans gêne. C'est en particulier possible chez des sujets très « coincés », mais aussi quand la pensée reste distraite. Une autre raison peut aussi être un manque d'entraînement caractérisé des 5 formes actives de Qi Gong déjà vues.

En tout état de cause, il serait erroné de se laisser aller à un mouvement « pervers », purement de séduction. Cela arrive quand une personne n'est pas satisfaite de ce qui s'exprime spontanément chez elle, qu'elle essaye de façon volontariste de faire des mouvements « plus beaux », ou soi-disant plus efficaces, et qu'elle tente d'exercer une influence sur elle-même. Il faut savoir que ce type de mouvement peut rendre malade ; il ne guérit certainement rien, car il contrarie le cours naturel et la « sagesse » du Qi véritable.

Pour évacuer toute retenue excessive et pour éliminer tout risque inutile, tu consulteras attentivement le chapitre 11, concernant les contre-indications pour le Qi Gong du « Vol de la Grue ».

Petit-à-petit, avec la guérison, le mouvement externe va disparaître. Il se fera plus paisibe et plus lent, et le mouvement intérieur dominera. Cependant d'après Zhao Jin Xiang, les mouvements extérieurs peuvent réapparaître, quand de nouvelles perturbations émotionelles ou physiques interviennent. Elles seront de nouveau éliminées par des exercices assidus, et il va alors y avoir une période de récupération des forces et de soins de tous les organes et des fonctions internes. Là-aussi il peut advenir un passage anticipé à la méditation.

Si tu t'entraînes régulièrement, il est vraisemblable que quelques visions te viendront pendant les exercices. On peut aussi éprouver une impression d'étirement, ou voir apparaître des lueurs, ou entendre des bruits agréables. Dans la tradition chinoise, on parle alors de « montée de la lumière », qui produit l'enthousiasme, l'euphorie. Il ne serait pas bon de chercher à retenir ces manifestations, elle doivent aller-et-venir. Les contenir ne serait qu'un obstacle. C'est la même chose en ce qui concerne des visions plus sombres, que tu ressentirais comme désagréables.

Si tu as réussi à te faire accompagner en toute confiance dans la méditation ou en thérapie, il peut t'être tout-à-fait profitable de travailler aussi sur ces manifestations négatives. Dans le cas contraire ou si tu es seul, alors tu ne dois pas avoir peur. Tu pourrais secouer la tête et dire tout haut par exemple : « non, je ne veux pas de ça ! ». Tu peux aussi expulser l'énergie négative en expirant. Le sifflement « ch... » peut également faire disparaître ces apparitions -même les visions positives d'ailleurs, car trop d'« enthousiasme » pourrait bien faire entrer en lévitation ! ...

Quand le Qi induit le mouvement : description de la démarche

Au début il est important de faire le vide sur les attentes ou les représentations mentales que l'on pourrait avoir à propos du mouvement interne du Qi et de sa façon d'agir. Il se peut que tu n'aies besoin justement que de rester immobile, en position debout. Il est nécessaire de lire ce chapitre concernant la sixième forme jusqu'au bout, avant d'entreprendre l'exercice. Il sera pourtant déterminant ensuite d'en faire abstraction, et d'oublier tout ce que ces informations ont pu évoquer en toi.

En ce qui concerne la préparation, la sixième forme doit bénéficier des mêmes précautions que les enchaînements actifs du Qi Gong.

1. Brève préparation : tu es debout, de telle sorte que tes pieds sont écartés de la largeur de tes épaules, les orteils légèrement tournées vers l'intérieur, et les genoux un peu pliés. Tes épaules et tes bras tombent naturellement. La pointe de ta langue touche le palais juste en arrière des dents de devant. Ton regard se porte droit devant, sans fixité.

Avec la force de ta conscience, tu libères ta tête de toute tension, ainsi que ton cou, tes épaules, tes coudes, tes poignets, tes doigts, ta poitrine et ton ventre, ton dos, tes hanches, tes genoux et tes orteils. Laisse le Qi pénétrer dans Baihui et conduis-le dans le Dantian inférieur ! Reste ainsi un moment ! De là, le Qi continue sa course vers Huiyin, Mingmen et Dazhui, où il se sépare en deux pour couler à travers les épaules jusqu'à Laogong.

2. Reconduction du Qi : (voir chapitre 9, 5ème enchaînement) : tourne les paumes de mains vers l'avant et lève les bras, comme s'ils retenaient une boule de Qi. Tu utilises tes épaules comme axe. Tu déverses le Qi en Tianmu. Tes coudes s'ouvrent et avec eux toute ta poitrine. Les mains circulent le long du corps, vers le bas, paumes tournées vers le bas et extrémités des doigts unies. Le Qi glisse vers le Dantian inférieur.

3. Rétention de la boule de Qi : quand tes mains ont atteint le niveau du nombril, défais tes doigts les uns des autres et éloigne tes mains de ton corps ! Le dos de tes mains est alors dirigé vers l'arrière et Laogong s'ouvre vers l'avant. Ce mouvement légèrement arrondi ne monte pas plus haut que les épaules. Alors les paumes se tournent en direction du Dantian inférieur et tiennent une grosse boule de Qi en avant du corps.

4. Maintien de la tête bien droite : imagine que Baihui soit relié au ciel comme par un fil et qu'un objet léger soit posé sur le sommet de ta tête. Ainsi le haut de ton corps va rester inébranlable pendant les mouvements involontaires.

5. Libération de la colonne vertébrale : soulève un peu tes épaules en inspirant par le nez et en expirant par la bouche. En même temps tu délies chacune de tes vertèbres, dans le dos.

6. Délestage des organes internes : Pousse légèrement tes épaules vers l'avant pour que les poumons soient sans la moindre gêne envahis par le flux de Qi ! Tu ne dois en aucun cas ressentir un sentiment quelconque d'oppression.

7. Dénoue tes épaules : soulève un peu les coudes vers l'extérieur comme si tu tenais un œuf sous chaque aisselle et libère tes épaules !

8. Décontraction des avant-bras : Dénoue les coudes et laisse légèrement pendre tes avant-bras ! Ainsi le Qi s'écoule immédiatement du haut du bras vers l'avant-bras.

9. Détente des poignets : Tes pensées sont en Shenmen et tu relâches les poignets. Le Qi s'écoule tout de suite dans tes dix doigts.

10. Fonte des boules d'énergie : les doigts aussi sont libres et légèrement fourchus, comme s'ils tenaient chacun une boule d'énergie. Visualise alors la fusion du Qi de ces boules avec le Qi du Dantian inférieur, comme pour former une grosse boule qui va trouver sa place pour 1/3 dans le Dantian inférieur et pour les 2/3 en avant du Dantian !

11. Libération de la taille : donne de l'espace au bas de ta colonne vertébrale et remue le coccyx un peu vers l'arrière. Les genoux sont à la verticale des orteils, pas plus. Tu ne devrais plus sentir aucune crispation dans l'ensemble du corps, et ta colonne vertébrale devrait rester sans aucune tension. La taille est maintenant libre.

12. Libération des hanches : exécute plusieurs rotations des hanches !

13. Le pendule : maintenant, imagine un pendule, dont l'extrémité partirait du coccyx, et qui arriverait à quelques centimètres du sol ! Ce pendule commence alors à se balancer lentement — d'avant en arrière. Si tu laisses faire sans retenue, le Qi doit maintenant couler. Il se peut que pour toi l'impulsion donnée par le pendule soit trop forte ou inutile. En ce cas, imagine un pendule, qui tomberait à la verticale sans bouger, et qui formerait avec tes pieds un triangle.

14. L'appui solide des pieds : tes pieds sont bien à plat sur le sol, et tu décontractes les orteils. En pensée, tu fais descendre le Qi depuis les épaules, par les hanches et jusqu'aux chevilles. Quand tu en as la sensation précise à cet endroit, tu le fais s'enfoncer encore davantage jusque dans la terre, c'est ainsi qu'il va rejoindre le Qi de la terre. Ceci va encore améliorer ta stabilité à l'égard de tous les mouvements involontaires provoqués par le Qi.

15. La fusion du Qi : ton corps est désormais très agréablement décontracté. C'est dans cet état de détente générale que le Qi qui circule dans tes mains va se mêler à celui qui se trouve dans le Dantian inférieur — de même que le Qi du haut du corps se mêle à celui du bas du corps. De la même façon, tu vas imaginer que le Qi qui enveloppe ton corps va fusionner avec le Qi interne.

16. On ferme les paupières : tes pensées vont se tourner vers l'intérieur, pour cela tu fais lentement passer ton regard d'un objet éloigné, à la pointe de ton nez. Tu peux soit fermer complètement les yeux, soit les laisser légèrement entrouverts. En aucun cas, tu ne dois crisper les paupières. Ton regard intérieur va pénétrer en toi et descendre vers la zone du cœur, et jusqu'au Dantian. Si tu le désires, tu peux continuer encore par Huiyin jusqu'aux oscillations du pendule.

17. Le Qi circule : tu n'as pas désormais d'objectifs précis. Quoi qu'il arrive tu te sens prêt à l'accepter. Tu ne fais rien de particulier. Tu peux rester ainsi peut-être un bon moment. N'essaye pas d'entreprendre quoi que ce soit. Ne pense pas, ne porte pas de jugements de valeur ! Aussitôt que le Qi va initier un premier mouvement apparent, laisse ton esprit reposer dans le Dantian ! Il ne s'agit pas d'entrer en transe ; si tu le voulais, tu pourrais arrêter tout mouvement instantanément.

18. Exercice final : — **Shou Gong** : ce mouvement qui procède de lui-même peut durer jusqu'à une demi-heure. Ou bien les gestes vont se faire petit-à-petit plus lents et plus calmes, si bien que tu vas cesser sans aucun effort, et revenir à l'immobilité. Ou bien tu vas te fatiguer et tu décideras alors d'arrêter.

Renvoie toi-même en toute conscience le Qi au Dantian en pensant secrètement : « tout le Qi doit maintenant revenir au Dantian. Je voudrais arrêter maintenant ».

Quand les mouvements se seront apaisés, reste un moment sans bouger ! Puis reconduis le Qi de chaque côté (comme au début). Tu répèteras ce mouvement circulaire des bras une fois, 3 fois ou bien 9 fois. Rassemble l'énergie en avant du Dantian et fais pénétrer cette boule d'énergie pour 1/3 dans le Dantian, alors que pour 2/3 elle reste en avant du Dantian ! Puis mets tes mains sur le côté et laisse-les descendre lentement.

Frotte tes paumes l'une contre l'autre, jusqu'à ce que tu les sentes agréablement tiédir et pense Laogong ! Tes doigts sont tournés vers le haut. Pose les mains sur ton visage et décrit 3 petits cercles sur ton visage, depuis le front, dans un mouvement descendant, puis en remontant sur les oreilles comme si tu voulais te laver consciencieusement le visage. Puis change le sens du mouvement !

Maintenant tu vas passer le bout de tes doigts, comme si tu te peignais, par 3 fois sur le front, en remontant vers le haut du crâne, puis en redescendant vers l'arrière de la tête ; et tu frotteras la base de ton crâne et ton cou des deux mains.

Pour terminer, tu passeras tes mains jointes devant ton cœur, comme pour le salut bouddhiste. Les extrémités des doigts sont allongées les unes sur les autres. Reste ainsi un instant, aussi longtemps que cela te plaira, et en silence ! Puis tu laisseras tranquillement retomber tes mains et tu ouvriras lentement les yeux.

Quand tu termines la 6ème forme de Qi Gong, il est bon de ne pas manger ni boire pendant une durée d'environ 20 minutes. Attends aussi 5 bonnes minutes avant de t'asseoir ou de t'étendre ! En effet le Qi poursuit son action bienfaisante en toi. Evite également de parler tout de suite !

Nous aimerions également rappeler, que pendant tout le mouvement induit par le Qi, ta conscience doit reposer en Dantian. Cela signifie que tu peux à tout instant décider d'arrêter ce mouvement spontané, si cela s'avérait nécessaire. Ce peut être le cas si les mouvements prennent des proportions extrêmes.

Il se peut en effet que tu te balances avec trop de force d'avant en arrière ou même que cela te fasse tomber. Ceci serait d'ailleurs le signe que ton point Yungquan n'est pas ouvert. Si tu te balances d'avant en arrière, porte donc ta conscience en ce point Yungquan ! Et si tu es tombé, concentre-toi sur le point Baihui ! Cela t'aidera à te relever.

D'autre part si le Qi t'amène à t'étendre, il est important que tu ne t'endormes pas. Quand le Qi se sera suffisamment manifesté dans cette position, tu reprendras la station debout. Au moment où le Qi essaie de libérer des blocages, il se peut aussi que tu éprouves quelques douleurs ou quelques sensations désagréables. Il est important que tu acceptes ces inconvénients passagers et que tu ne contraries pas le processus de guérison orchestré par le corps. Si l'on interrompait l'exercice à ce stade, le mal n'en serait pas amélioré et le Qi resterait bloqué.

Si ton corps ne se calme pas, alors que tu as décidé d'arrêter tout mouvement, il est recommandé de procéder comme suit :

Tu diriges ta conscience sur les 5 points de l'énergie suivants : Baihui, les deux Laogongs et les deux Yungquans, et tu reportes l'énergie de ces points vers le Dantian. Prends du Qi neuf par Baihui et conduis-le par le Dantian, par Huiyin, par Mingmen, par Dazhui, jusqu'en bas au Laogong ! Reconduis le Qi par deux fois de cette façon-là, et reporte l'énergie vers le Dantian ! Pense Laogong et Dantian !

Les femmes portent alors leur main droite sur le Dantian et elles posent leur main gauche par-dessus, de telle sorte que le point interne gauche de Laogong se trouve sur le point externe droit de Laogong. Puis elles vont décrire au moins 9 cercles (ou 18 ou encore 36) dans le sens des aiguilles d'une montre au-dessus du Dantian, de telle façon que ces cercles vont s'agrandir de plus en plus. Elles exécuteront de la même façon au moins 9 cercles en sens contraire pour terminer le dernier cercle au Dantian

Les hommes, eux, vont poser la main gauche sur le Dantian et la droite par-dessus. Ils feront au moins 9 cercles dans le sens contraire des aiguilles d'une montre et termineront par au moins 9 cercles en sens inverse.

Puis tu refais le mouvement de double reconduction de Qi, 3 fois de suite. Après cela le mouvement spontané qui t'agitait doit s'être arrêté. Si ce n'est pas le cas, ton instructeur ou le thérapeute qui te suit, doit intervenir et apporter son aide. Il pourra enfin faire arrêter ce mouvement induit par le Qi en pressant sur certains points d'acupuncture.

Prends ton temps quand tu en es à la sixième forme de Qi Gong ! Si tu dois te sentir stressé par des engagements extérieurs quelconques, il vaut mieux renoncer complètement à cette dernière demi-heure de mouvement induit par le Qi.

Le sens de cet exercice est d'amener le Yin et le Yang en harmonie, de telle sorte que la grue puisse commencer à décrire « les cercles légers qui la mènent vers la longue vie ».

Chapitre 11

CONTRE-INDICATIONS

Dans la forme que nous proposons ici, les exercices de Qi Gong peuvent être dans certains cas contre-indiqués. De plus amples explications, relatives aux effets spécifiques que l'on peut observer sur le plan physique et moral, sont données aux chapitres 4 et 5, et dans la 3ème partie de l'ouvrage. On conseille donc de renoncer à ce type d'entraînement dans les cas suivants :

1. Maladies en phase aiguë et fièvre, ou bien juste après une opération ou un accouchement. Les personnes atteintes de tuberculose pulmonaire ou d'autres maladies contagieuses, transmises par voie d'air, ne doivent pas s'entraîner en groupe. Elles peuvent le faire seules, cependant.

2. Quand le sens de l'équilibre de la personne est perturbé.

3. S'il y a tendance psychotique, il faut s'abstenir de pratiquer la 6ème forme ; également les autres formes, si l'enseignement en cours particulier n'est pas envisageable. Cela vaut de la même façon en cas de perturbations d'ordre neurologique ou névrotique, qui s'accompagnent de gros handicap des facultés mentales. De même il est bon de renoncer carrément à cette forme d'exercice en cas d'effets secondaires dûs à l'usage de drogue (y compris d'alcool) et de médicaments qui peuvent modifier de façon sensible les perceptions.

4. En cas de fatigue extrême, mieux vaut choisir de dormir que de pratiquer ces exercices.

5. Dans tous les états émotionnels excessifs, comme par exemple états de profonde tristesse, de colère, gaîté exacerbée, euphorie, on déconseillera surtout la pratique de la 6ème forme. Pour le reste des exercices, une vigilance particulière et beaucoup de patience seront nécessaires.

6. On recommandera aux personnes hypersensibles, ou très dépressives, ou encore très impressionnables, de ne pas s'engager dans la 6ème forme. Ceci pourrait toutefois être discuté avec l'instructeur de Qi Gong.

7. Souvent, la tradition recommande aux femmes de ne pas s'entraîner durant leurs périodes menstruelles ou pendant une grossesse. C'est aussi le cas pour le « Vol de la Grue ». Mais comme la plupart des instructeurs sont des hommes, nous dirons que les femmes doivent s'en référer à leur propre expérience et à leur propre senti, et décider ce qui est le mieux pour elles. Il est quasiment certain que la pratique des 3 premiers enchaînements ne présente aucun inconvénient. Quelques femmes réagissent de façon particulière, ou subissent une prolongation de leurs règles

par exemple, quand elles continuent de pratiquer les 3 autres formes d'exercices proposés. On peut aussi observer une augmentation des saignements. Les femmes qui ont tendance à souffrir de douleurs menstruelles témoignent souvent d'amélioration sensible. Mais les règles sont aussi le signe d'une purification de l'organisme, de son renouveau, et pas seulement le signe d'une perte d'énergie ou d'un affaiblissement. Il appartient donc à chaque femme, de trouver ce qui est bon pour elle.

On dira la même chose des cas de grossesse. L'entraînement va en effet faire le plus grand bien à certaines, alors que d'autres auront des vertiges dès la fin du 3ème mois de grossesse. En cas de risque d'accouchement prématuré, il faut pratiquer les exercices en position assise. De toute façon il faut renoncer au mouvement spontané de la 6ème forme et à toute pratique des enchaînements debout.

8. L'action thérapeutique du « Vol de la Grue » est renforcée si, en cas de maladie, on peut renoncer complètement, ou du moins modérer jusqu'à guérison, la fréquence de ses rapports sexuels. Il est toujours possible à des êtres qui s'aiment d'être tendres sans réaliser l'union sexuelle.

9. En principe il n'est pas possible d'apprendre les exercices simplement d'après les indications d'un texte. Même ce livre ne reste qu'un fil conducteur, il n'est pas en soi un enseignement. Il est donc tout à fait conseillé de chercher un maître instructeur ou une instructrice, ou d'envisager aussi d'autres exercices et d'autres expériences.

10. Si l'on n'a pas confiance en cette forme de Qi Gong, si le doute et le scepticisme dominent, il vaut mieux arrêter toute pratique, car dans de telles conditions il n'y aurait aucun résultat.

11. Si l'on entreprend en même temps l'apprentissage d'une autre technique répondant à des principes comparables concernant les processus énergétiques, il faudra rapidement se décider pour l'une ou l'autre technique — Yoga, Tai Ji Quan, Reiki*. En effet, un entraînement parallèle ne pourrait qu'apporter la confusion, non seulement dans l'exécution des exercices eux-mêmes, mais aussi dans l'écoulement du flux d'énergie.

Par contre on peut très bien faire de la natation, de la gymnastique, ou de la course à pied, toutes activités de nature plus superficielle, à pratiquer surtout avant les exercices de Qi Gong.

---

* Voir sur le Reiki, « Soigner, se soigner, l'énergie vitale canalisée par les mains » édité par les Editions Entrelacs 1991.

Chapitre 12

LA RESPIRATION DANS LE QI GONG

*Les marées
vont et viennent
sans raison apparente.*

Astrid Schillings

Tout individu aspire et expire, et ne pourrait pas vivre sans ce mouvement respiratoire. En physiologie on distingue la respiration pulmonaire (ou respiration externe) et la respiration tissulaire (ou respiration interne). Inspiration plus expiration sont comprises comme une respiration complète, au cours de laquelle se passe un échange gazeux au niveau des poumons.

Bien sûr c'est naturellement et sans effort que l'être humain respire, quand son rythme respiratoire est lent, profond et régulier. Cette respiration réflexe s'exprime dans la façon de parler, de bouger et dans l'état général de santé de chacun.

On peut aussi observer le reflet de ce rythme naturel respiratoire dans le déroulement de la vie quotidienne. On trouve souvent une respiration faible, superficielle et irrégulière, chez les personnes qui ont leur flux énergétique perturbé.

Cette carence peut être dûe soit à une maladie, soit à un accident, soit à un épuisement profond, ou même à une souffrance psychique.

Avec la pratique du Qi Gong, ce ne sont pas seulement des processus psychologiques ou biologiques qui sont engagés comme nous l'avons vu, mais aussi des mouvements beaucoup plus profonds. La respiration Qi Gong n'est pas seulement une inspiration et une expiration comme ce que l'on connaît ordinairement. La respiration Qi Gong influe sur la circulation de l'énergie Qi dans les méridiens et ainsi elle agit sur le jeu des échanges entre Yin-Yang.

De ces échanges naissent les interactions entre les 5 éléments (voir chap.5) et les organes concernés. C'est grâce à cette respiration que tout se met en mouvement. Dans le Qi Gong du « Vol de la Grue », la respiration n'est ni contrôlée artificiellement ni influencée par un comptage ou une rétention quelconques, ou par d'autres facteurs artificiels. Ceci est particulièrement utile pour les occidentaux, car dans notre culture les perturbations respiratoires sont, pourrait-on dire, la norme ! Les personnes bénéficiant d'une respiration spontanée et naturelle sont en effet l'exception.

Déjà chez de jeunes enfants, on peut voir comment la peur intériorisée, qui se traduit par une attitude d'épaules soulevées par exemple, peut rendre la respiration superficielle, voire même la bloquer. Sous prétexte de retenir sa respiration, ou de prolonger son rythme d'inspiration et d'expiration, ce qui est couramment pratiqué dans de très nombreux exercices, on empêche encore davantage l'apparition de la respiration spontanée.

La clé de la guérison se trouve donc dans la recherche et la redécouverte du rythme respiratoire originel et non pas dans son contrôle. Il faut laisser aller et venir la respiration comme elle « l'entend ». Elle trouvera son rythme d'elle-même.

En général on différencie 3 types de respiration dans le Qi Gong : la respiration naturelle, la respiration inversée et la respiration « embryonnale ».

C'est la respiration naturelle que l'on recommande aux débutants du « Vol de la Grue ». Au cours de cette respiration naturelle, on inspire et on expire par le nez. Le diaphragme (muscle transversal entre buste et abdomen) s'étire vers le bas. On fait de la place dans la poitrine, et les poumons peuvent alors se développer. Afin que l'abdomen ne soit pas oppressé par la pression du diaphragme vers le bas, le ventre va se gonfler vers l'avant, si bien que son volume restera le même.

A l'expiration, le diaphragme se retire vers le haut, et revient dans sa position initiale, ce qui a pour effet de compresser automatiquement les poumons, et d'en expulser l'air. Le ventre est rentré et les organes du ventre reprennent leur place légèrement plus haut (voir ill.195, p. 198).

L'action équilibrante de la respiration naturelle ne produit son effet que très lentement sur l'organisme. C'est pourquoi il est important d'être patient et de persévérer. Une fois l'état général normalisé, la respiration va d'elle-même passer au rythme de respiration inversée.

Dans la respiration inversée, le diaphragme s'incurve vers le haut à l'inspiration, et la poitrine s'élargit alors, pour ne pas comprimer les poumons. Cette cambrure du diaphragme vers le haut va causer un appel de la paroi ventrale, et les organes du ventre vont se déplacer légèrement vers le haut. Lors de l'expiration, le diaphragme se détend et la cage thoracique reprend sa position initiale. Les organes du ventre vont se replacer de nouveau un peu plus bas, ce qui aura pour double effet que la sangle abdominale reprenne sa place initiale, et qu'elle s'arque légèrement vers l'avant.

La respiration inversée s'installe d'elle-même chez le pratiquant de Qi Gong. En aucun cas il ne faudrait travailler volontairement à cela. Le Qi circule, comme un guérisseur dévoué, partout où il est utile.

Les taoïstes ont souvent utilisé la respiration inversée de façon consciente, pour conduire le Qi plus rapidement et avec plus de puissance vers les voies du « petit circuit ». Ceci était possible, parce que les élèves des maîtres taoïstes possédaient déjà parfaitement la respiration naturelle et que par conséquent leurs voies de circulation de l'énergie étaient fluides.

C'est dans une phase ultérieure de l'entraînement, que la respiration embryonnale va se développer à partir de la respiration inversée. Ce qui signifie que l'on ne va plus respirer par le nez et la bouche, mais, comme un embryon dans le ventre de sa mère, par l'intérieur du corps[1].

L'abdomen bouge de façon à peine perceptible. La succession de petits mouvements de cette sorte, subtils, produit un flux continuel, qui apporte rapidement de l'énergie originelle vers tous les méridiens et les canaux plus fins.

La respiration embryonnale est considérée comme la vraie respiration. Ce n'est qu'après une longue pratique qu'elle peut s'enclencher de façon naturelle.

On précisera que ces différentes phases de respiration peuvent parfaitement être parcourues lors de séances de méditation. Si l'on essaie volontairement et artificiellement de modifier sa respiration, on peut arriver à se blesser grièvement de façon interne. Ce qui n'est pas du tout le cas quand cela se fait naturellement.

L'embryon dans le ventre de sa mère reçoit de l'oxygène par la voie du cordon ombilical. Grâce aux techniques modernes, on a pu aujourd'hui rendre perceptible à l'œil cette très fine pulsation. Cela correspond au mouvement léger de la respiration embryonnale, telle que la décrit la tradition taoïste depuis des millénaires.

---

1. Ute Engelhardt : Die Klassische Tradition der Qi-Übungen (Qi Gong), [« La tradition Classique des Exercices de Qi (Qi Gong) »] Franz Steiner Verlag Wiesbaden, Stuttgart, Münchner Ostasiatische Studien 1987, p. 109-291.

Ce sont donc les trois façons de respirer que nous venons de décrire plus haut qui forment la principale caractéristique du processus spécifique de l'entraînement Qi Gong. Il nous semble important de mentionner l'apparition possible lors de ces exercices, de phénomènes tels que des visions colorées, des mirages visuels ou auditifs, audition de musique ou de sons divers, comme bruit de percussion et voix, ou encore des rayonnements de lumière. Ces phénomènes vont et viennent au rythme de l'ouvertutre du réseau et des centre d'énergie, et de l'ouverture des trois zones du Dantian.

Dans les textes taoïstes, il est dit que la salive se transforme en énergie, et s'accumule dans le Dantian inférieur. « Il tonne dans mon ventre », disent les Chinois...

Il existe de nombreuses techniques et écoles de respiration, qui accordent leur faveur à l'une ou à l'autre des techniques que nous mentionnons, et il existe également des avis très variés sur ce qu'est la respiration « juste », « vraie ». Dans ce chapitre nous avons présenté les 3 principales façons de respirer.

Zhào Jin Xiang fait mention, dans son livre sur le « Vol de la Grue », de 9 variantes qui sont les suivantes :

1. Inspiration et expiration par la bouche,
2. Inspiration et expiration par le nez,
3. Inspiration par le nez, expiration par la bouche,
4. Inspiration par la bouche, expiration par le nez,
5. Inspiration sans expiration,
6. Expiration sans inspiration,
7. Ni inspiration ni expiration,
8. Respiration sans conscience,
9. Respiration sauvage (des cellules ou des pores).

Ces 9 variantes n'ont pas la même importance que les 3 principales méthodes de respiration. Elles accompagneront cependant le ou la pratiquant(e) tout au long de son chemin.

« Quand le cœur, le corps, et la volonté sont en paix, que les 5 éléments se nourrissent mutuellement, que le Yin et le Yang forment une même unité et que le Sage a reconnu les secrets de la re-naissance et du retour à la vie ; quand l'ouïe ne perçoit plus rien, ni la langue aucun goût, que l'esprit dans les reins et l'âme dans le cœur, l'être humain a redécouvert la voie de son existence originelle[2]. »

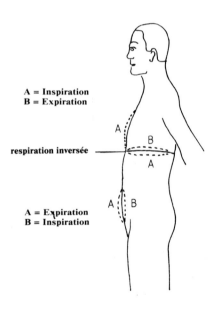

A = Inspiration
B = Expiration

respiration inversée

A = Expiration
B = Inspiration

ill. 195 : respiration naturelle

---

2. Wu Hui Xue : Das Geheimmis des Stillsitzens, [« Le secret de la Méditation »] Hong Kong.

Chapitre 13

EXERCICES ET TRAITEMENTS SPÉCIFIQUES EN RÉPONSE À CERTAINS ÉTATS PATHOLOGIQUES.

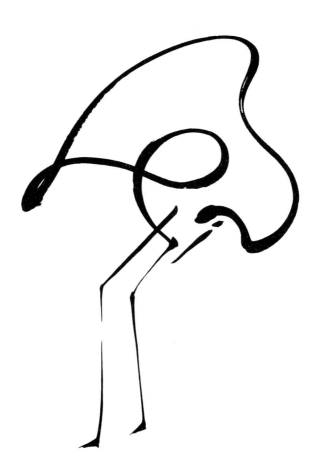

*« Couper la mauvaise herbe
n'empêche pas les racines de pousser ».*

Astrid Schillings

On peut répondre à certains états de tension, d'irritabilité, de colère, aux maux de tête, aux sentiments négatifs ou de peur, par des exercices spécifiques. Si tu décides d'entreprendre l'un ou l'autre de ces exercices, effectue-les avant de commencer les 5 enchaînements actifs du « Vol de la Grue ». Tous commencent par le rituel de relaxation décrit en détail au chapitre 8.

1. Exercice pour le foie, en cas d'irritabilité, de colère, de stress, de ballonnements, d'yeux rougis, de contractions de l'abdomen ou de sentiments négatifs (ill. 196-203).

Les pieds sont parallèles et écartés d'une largeur d'épaules. Prends ton temps pour te relaxer ! Sens bien ton corps et tes pieds ancrés dans le sol ! Tu vérifies aussi où repose le poids de ton corps et tu plies les genoux comme si tu voulais t'asseoir. Souris-toi en ton for intérieur et respire de façon naturelle ! Tes bras tombent souplement, tes yeux regardent droit devant toi.

Pose ton pied droit à 45 degrés à la diagonale vers l'avant, le talon posé sur le sol ! Tu fixes ton esprit dans le Dantian, où l'énergie s'accumule, et de là tu la conduis par Huiyin, Mingmen, Dazhui, et le long de l'intérieur des bras, vers Laogong.

Tu lèves tes bras tendus, lentement, en avant de ton corps. A hauteur d'yeux, tes coudes vont s'ouvrir de chaque côté. Tes mains s'élèvent encore un peu et se rapprochent l'une de l'autre. Le Qi s'écoule de Laogong en Tianmu, et le long du Zhongmai, jusqu'au Danzhuan, un point d'acupuncture situé à environ 4 doigts au-dessus de la poitrine et à 2 doigts du creux de l'aisselle. Les coudes sont tournés de côté, les bras parallèles au sol. Sans bouger le buste, les bras et les mains vont tourner de 45 degrés vers la droite dans la même direction que la jambe droite. Concentre-toi sur Dadun, le point de départ du méridien du foie ! Descends lentement les mains et fais circuler le Qi le long du méridien du foie jusqu'au pied droit !

Tu imagines que toute ton énergie négative va s'éliminer au niveau de ce point Dadun. Il faut refaire cet exercice entre 3 et 9 fois avant de commencer les exercices du « Vol de la Grue ».

Exercices spécifiques

196

197

198

199

Illustrations 196-199

201

200

201

202

203

Illustrations 200-203

Remarque à propos de cet exercice :

Cet exercice sollicite de manière intensive l'organe du foie et par conséquent le méridien du foie. C'est à l'élément Bois qu'est assimilé le foie en médecine chinoise. Il est donc recommandé de faire cet exercice en plein air, et si possible à proximité d'un arbre. Si tu ne peux pas faire autrement que de rester en espace fermé, imagine ton arbre, car le bois de l'arbre peut absorber l'énergie destructrice du foie. Le mieux serait même de te munir d'un bout de bois brut, vers lequel tu pourrais diriger cette énergie.

Le foie réagit directement aux sentiments négatifs comme le mécontentement, la colère, la haine, le stress, la précipitation, la tension et les crispations. En tant qu'organe de purification et d'équilibre pour le sang et pour l'énergie, il est particulièrement sensible aux émotions en général. Si ces émotions durent trop longtemps, il peut advenir que l'énergie se bloque au niveau du foie, ce qui peut entraîner après quelques temps un engorgement de sang ou -dans les cas extrêmes- un gonflement ou une inflammation des tissus[1].

Le foie en médecine chinoise est l'organe à partir duquel se développent de très nombreuses affections, et notamment les cancers. S'il est un tant soit peu affecté et qu'il bloque le sang et le Qi, cela aura des effets sur l'ensemble de l'organisme. Cet exercice concernant le foie est donc également utilisé par les experts en Qi Gong comme Zhào Jin Xiang pour le traitement des cancéreux.

Au cours de cet exercice la respiration commence dans le Dantian. Tu dois y rassembler le Qi, avant de le laisser s'écouler par le Zhongmai et le Dumai. L'expérience montre que de nombreux débutants se sentent mieux s'ils commencent par la respiration naturelle dans le Dantian. Les personnes plus avancées peuvent fixer leur attention en Baihui et absorber par là l'énergie dans le corps. Les débutants cependant conduiront l'énergie depuis le Dantian.

---

1. « Chinese Qigong Therapy », Shandong Science and Technology Press, Jinan/Chine, 1985, p. 95.

2. Exercice en cas de maux de tête, de malaise, de tension, de sensation d'oppression dans la région du cœur, d'insomnie et de difficultés de concentration (ill. 204-215).

2.A : la préparation est la même que celle prescrite au chapitre 8 et pour l'exercice précédent. Les bras tombent souplement de chaque côté du corps, et forment avec lui un angle d'environ 20 degrés.

Porte ton attention sur Laogong, et amasse-là toute ton énergie ! Tourne les paumes vers l'extérieur et lève les bras tendus, lentement, de chaque côté jusqu'à la hauteur des épaules ! Pense Laogong ! Tu plies les bras et tu fais prendre à tes mains une forme de cuillère ; elles vont maintenant décrire un demi-cercle vers les épaules. Tu appuies pendant 2 minutes de tes 4 doigts tendus sur Jianjing, un point d'acupuncture de l'épaule qui se trouve sur le méridien de la vésicule biliaire. Le pouce se trouve alors souple, posé le long de l'index.

Puis tu étends de nouveau les bras de côté, parallèles au sol, et tu ouvres tes mains formant une cuillère ; tu fais remonter lentement tes bras vers le haut. A présent tu vas exécuter le mouvement final de rassemblement du Qi de part et d'autre, comme décrit à la fin du 5ème enchaînement.

Remarque à propos de cet exercice :

Cet exercice est appelé mouvement du cœur, bien qu'il active le point Jianjing sur le méridien de la vésicule biliaire. Mais selon la théorie des 5 éléments, le méridien de la vésicule biliaire a une influence décisive sur le méridien du cœur. Et le cœur n'a pas seulement la charge du sang et de sa circulation dans le corps. Les maîtres chinois de l'énergie recommandent d'ailleurs « d'entraîner d'abord le cœur avant d'entreprendre les exercices pour tout le corps ». Car on dit bien que le cœur est le siège de l'âme.

Le mouvement final de concentration du Qi de part et d'autre dans le Dantian a pour effet de faire circuler l'énergie par les reins vers le cœur.

2.B : en cas de maux de tête extrêmes ou de migraines, écarte les bras comme dans l'exercice précédent et porte-les lentement jusqu'à la tête ! Auparavant, pendant le temps de relaxation, tu auras plus particulièrement porté ton attention sur tes majeurs et tu y auras concentré toute l'énergie. Appuie les deux majeurs sur les point dits « cornes du Dragon » (Quinglungquiao), de chaque

204   205

Illustrations 204-205

206

207

Illustrations 206-207

208

209

210

211

Illustrations 208-211

Illustration 212

213

214

215

Illustrations 213-215

côté de Baihui, jusqu'à ce que la douleur passe. Tu termineras cet exercice comme l'exercice précédent.

Remarque à propos de cet exercice :

La pression sur les points Quinglungquiao leur permet de s'ouvrir et de mieux laisser passer le flux de Qi. C'est ainsi que la sensation d'oppression dans la tête pourra se dissiper.

2.C : il y a une autre méthode, très simple, qui répond aux mêmes cas. Elle consiste à faire de grands cercles avec les bras, 9-18 fois consécutives, comme il était décrit au chapitre 9, 5ème enchaînement. Cette façon de récupérer de l'énergie apparaît dans chacun des enchaînements et agit de façon efficace même si l'on s'y adonne en dehors tout contexte, par exemple lors d'une pause à son travail.

Remarque à propos de cet exercice :

Cet exercice répond aux mêmes états de santé que l'exercie A. Il sera toutefois surtout utilisé en cas de maux de tête, ou de sensation d'oppression cérébrale.

En exécutant des cercles de façon répétée, on agit sur le Qi accumulé dans la tête ; il va alors s'écouler vers le Dantian et de là il pourra passer par les reins jusqu'au cœur.

3. Exercice en cas de frayeur, d'angoisse, de perturbation brutale ou de malaise général (ill. 216-238).

3.A : si lors de ton entraînement Qi Gong tu es brutalement dérangé ou même effrayé par des bruits, un courant d'air, des personnes, ou un appel téléphonique, reste tranquille ! Attends un court instant, et tourne-toi vers le sud, pour laisser revenir la paix en toi !

Tes pieds sont parallèles, écartés de la largeur des épaules, tes bras pendent souplement. Respire de façon naturelle et prends conscience de ton sourire intérieur !

Porte ton esprit au Dantian et laisse le Qi s'écouler par Huiyin, Mingmen, Dazhui et le long des épaules en redescendant vers Laogong ! Pense Laogong, relâche les doigts, et sens la chaleur du Qi dans tes mains ouvertes !

216

217

218

219

Illustrations 216-219

220

221

222

223

Illustrations 220-223

Exercices spécifiques (suite)

. 224

225

226

227

Illustrations 224-227

Lève les bras tendus en avant de ton corps. A hauteur d'yeux, ouvre les coudes de côté, le Qi s'écoule de Laogong en Tianmu. Reconduis l'énergie en descendant jusqu'au Dantian !

Laisse alors tes bras décrire 8 fois de suite le mouvement suivant : commence par un cercle en direction du sud, puis tourne vers l'ouest, le nord-ouest, le nord, le nord-est, l'est et le sud-est !

Après le 8ème mouvement de bras, tu te trouves de nouveau tourné vers le sud. Tu lèves alors les bras, lentement en avant du corps, et tu penses Laogong. Tes genoux sont légèrement pliés, comme si tu voulais t'asseoir.

A hauteur d'yeux, tes coudes vont s'ouvrir de côté et passer de chaque côté des oreilles. Les mains vont lentement passer au-dessus de la tête et là tu vas joindre tes doigts les uns aux autres et tourner les paumes de tes mains vers le haut. Fixe ton attention sur les deux Laogongs, qui s'ouvrent vers le ciel ! Maintenant tu vas effectuer les mouvements qui sont décrits pour le 1er enchaînement au chapitre 9 sous le titre « l'ouverture au ciel et la prise de Yang ».

Après avoir pour la dernière fois largement étiré ta colonne vertébrale, tu laisses tes épaules tomber bien souplement, sans que ni les bras ni les mains ne bougent de leur position terminale. Etire maintenant tout ton corps, et penche-toi vers le sol, vertèbre après vertèbre, la tête pendant entre les bras ! Les jambes sont droites, mais pas raides. Les mains sont agrippées l'une à l'autre et les paumes sont tournées vers le sol.

Tourne le buste vers la gauche et appuie doucement les paumes de tes mains sur le sol en avant du pied gauche ! Tu tournes ensuite vers la droite et tu effleures le sol en avant de ton pied droit. Puis, pour finir, tu te repositionnes au centre (ill. 228-231)

Détache les mains l'une de l'autre ! Tes épaules tombent souplement, tes genoux sont de nouveau légèrement pliés. Redresse-toi, vertèbre après vertèbre, et décris un dernier cercle ! Tu rassembles le Qi dans le Dantian (chap.9, 5ème enchaînement, ill. 232-234 et 212-218).

Reste ainsi un moment sans rien faire, et sens fort la chaleur bienfaisante qui inonde ton corps !

Remarque à propos de cet exercice :

En effectuant 8 fois de suite le mouvement des bras, tu vas te calmer, toi et la circulation du Qi en toi. Le Qi qui a pu se

Exercices spécifiques (suite)

228

229

230

231

Illustrations 228-231

232

233

234

235

Illustrations 232-235

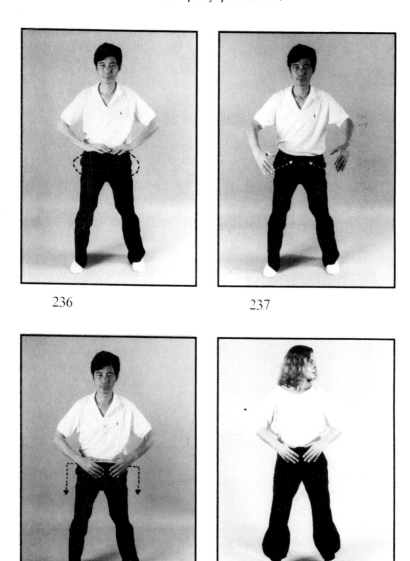

Illustrations 236-239

disperser, va de nouveau être rassemblé à partir des 8 orientations célestes. Dans tous les cas, on récupère ainsi le Qi externe, celui qui enveloppe et qui protège le corps.

Grâce à l'étirement vers le haut, c'est le Yang du corps qui s'harmonise avec celui du ciel et par la flexion vers le sol, c'est le Yin du corps qui s'unit à celui de la terre.

Si en te courbant, tes mains ne peuvent pas toucher la terre, imagine-toi simplement qu'elles le font malgré tout. Tu te penches seulement de telle sorte que tu ne forces pas. Il est important pour cet exercice que tu le fasses à l'endroit même où tu avais interrompu ton entraînement de Qi Gong auparavant.

3.B : dans le cas où tu aurais été distrait de ton entraînement ou effrayé par quelque cause que ce soit et où tu aurais quitté le lieu où tu t'entraînais auparavant, il serait sage de faire l'exercice suivant (ill. 239-240) :

Pieds parallèles et écartés d'une largeur d'épaules, tu te relaxes comme dans la préparation du chapitre 8. Prends le temps de bien sentir ton corps, ton sourire, ta respiration !...

Tu diriges ta conscience sur le Qi qui est alors dans le Dantian et tu le laisses s'écouler depuis-là vers Huiyin, Mingmen, Dazhui et le long des bras, jusqu'à Laogong.

Fixe-toi sur Laogong pendant que tu élèveras les bras vers le haut et que tu laisseras le Qi s'écouler de Laogong dans le Tianmu jusqu'au Dantian. Tes mains sont alors parallèles, en avant du Dantian, comme au cours de l'entraînement.

Projette ton regard dans le lointain, et imagine que tes yeux captent du Qi neuf et le font passer dans ton corps ! Tu peux sentir le Qi se répandre en toi, en tournant lentement la tête vers la gauche sans bouger le haut du corps. Lors de cette rotation, ton regard se porte vers l'intérieur.

Quand ta tête est arrivée en position tournée vers la gauche, tes yeux reprennent leur vision fixée vers l'horizon. Laisse le Qi couler en toi !

Tu exécutes cette rotation de la tête sur la gauche 4 fois de suite. Puis tu continues en tournant 3 fois la tête vers la droite. Chaque fois que ta tête se tourne vers l'avant ou de côté, le Qi pénètre en toi. Tu termineras cet exercice en récupérant le Qi des deux côtés et en te concentrant sur le Dantian (comme vu chapitre 9, 5ème enchaînement).

Illustration 240

Remarque à propos de cet exercice :

Quand tu collectes le Qi, que tu le rassembles dans le Dantian et que tu sens bien la chaleur de son action, cela peu à peu apaise ton agitation et calme ta nervosité. Les rotations de la tête à droite et à gauche réalisent un massage des points d'acupuncture très importants qui se situent à la base du crâne et dans le cou.

En Chine on affectionne particulièrement ces rotations de la tête. Ces mouvements sont connus en Occident comme le 4ème exercice des Ba Duan Jin (les « 8 exercices d'embellissement » ou les « 8 Brokat »), grâce auxquels on peut éloigner « les 5 soucis » ou « les 7 désolations »).

4. Exercice en cas de fatigue, de somnolence (après les exercices de Qi Gong)

Le meilleur moyen pour venir à bout de la fatigue et de la somnolence, aussi bien que de la perte de concentration, est d'effectuer les exercices de préparation décrits au chapitre 8.

Après les exercices de Qi Gong, il peut advenir 3 différentes sortes de fatigue : d'abord le ou la pratiquant(e) peut s'être déjà senti fatigué(e) avant l'entraînement. Il est alors préférable de dormir, plutôt que de faire un autre exercice.

Ou alors il ou elle s'est entraîné(e) trop longtemps et s'est épuisé(e). Il est alors recommandé aux débutants ou aux personnes affaiblies de ne pas dépasser la demi-heure d'entraînement.

Les personnes en bonne santé ou les pratiquants déjà avancés peuvent s'exercer à chaque fois 1 heure.

Enfin, autre cause de fatigue : la personne n'a pas été assez décontractée ou bien elle s'est laissé aller trop avant dans ses pensées. Cela arrive particulièrement facilement aux débutants.

Une grosse fatigue peut aussi conduire au vertige.

Ne pense alors qu'à cet exercice et en ton for intérieur, répète-toi, si nécessaire, le genre de phrases suivantes : « Voilà que je bouge mon bras », ou bien : « En ce moment l'énergie coule en Laogong... ».

5. *Exercice en cas de pensées négatives*

La plupart des gens accueillent favorablement toute rêverie positive, toute image ou toute pensée agréables, bien que celles-ci détournent l'attention de l'entraînement.

Toutefois si pendant l'entraînement Qi Gong, c'étaient des pensées ou des émotions négatives, destructrices, voire morbides qui s'imposaient à l'esprit, il faudrait secouer la tête de gauche à droite et émettre une sorte de sifflement « sch... », comme si on voulait dire : « silence ! Non, je ne veux pas de cela... ».

Il faudra répéter ce mouvement de tête et ce bruit plusieurs fois, arrêter aussitôt l'exercice et quitter la pièce.

En conclusion, on dira que ces exercices spécifiques, qui peuvent très bien être exécutés en dehors de toute suite d'entraînement Qi Gong, ne représentent qu'une assistance extérieure. Ils ne peuvent qu'éloigner ou atténuer le symptôme, la souffrance. Il n'attaquent certainement pas le mal à la racine. Pour cela il est très important d'aller plus au fond de soi, de s'écouter avec beaucoup d'attention.

Cela signifie que tu dois pouvoir toi-même explorer et découvrir les motifs possibles de ce qui ne va pas en toi, de façon subtile et sensible. Il ne faut pas t'en remettre uniquement à tes seules facultés d'analyse intellectuelles. Il est tout à fait possible que tu découvres en toi les causes d'une bonne maladie.

Dans la Chine ancienne, les médecins attendaient de leurs patients un grand sens de la responsabilité vis-à-vis de leur propre santé. On considérait même qu'un médecin n'était bon, que s'il pouvait expliquer à temps à ses patients, comment ils pourraient éviter les maladies. Les médecins chinois les plus renommés n'avaient jamais de « malades » ! C'est chez les médecins moins considérés que se retrouvaient en règle générale les malades. Ces médecins étaient d'ailleurs accusés d'ignorance, car ils n'avaient pas réussi à conseiller et à guider leurs patients à temps pour les sortir d'affaire, et parce qu'ils ne leur avaient recommandé ni phytothérapie ni acupuncture ni massages indispensables[2].

---

2. Vuth, Ilza : The Yellow Emperor's Classic of Internal Medicine, Univ. of Calif. Press, Berkeley, USA, 1949, IIIe siècle avant J.C.

TROISIEME PARTIE

PRATIQUE EXTERNE
ET CHEMINEMENT INTÉRIEUR

par Astrid Schillings

Introduction

Grue,
battement d'ailes
mouvement intérieur.
L'oiseau vole,
dans l'inter-temporalité de
l'esprit,
droit au cœur.

Astrid Schillings

Dans la 3ème partie de cet ouvrage, nous nous sommes donné pour mission d'extraire quelques éléments essentiels parmi les mille interprétations possibles et les innombrables expériences vécues de Qi Gong. Dans le cadre de ce livre, nous ne pouvons mettre en place que de bien modestes projecteurs pour repérer très approximativement l'aspect de ces « paysages de plaines et de montagnes ».

C'est pourtant seul(e), en soi-même, que celui ou celle qui pratique l'entraînement, pourra découvrir le « cristal arc-en-ciel » qui se cache dans les profondeurs de ces paysages.

Si, toutefois, les explications que nous donnons dans les prochains chapitres, et qui concernent certains aspects et « arrière-plans » du Qi Gong, pouvaient servir de soutien, de guide ou d'inspiration, à quiconque mène cette recherche, ces lignes ne seraient pas inutiles.

Tout être humain quel qu'il soit, et moi comprise, qui s'engage dans le Qi Gong, le fait pour des raisons qui lui sont propres, et toujours fondamentales. Ces raisons peuvent, au fur et à mesure que le temps passe, se préciser ou se modifier. Ce peut être le cas, par exemple, après une maladie, à l'émergence d'une crise existentielle, ou avec la progression de l'entraînement Qi Gong.

Chaque thème spécifique peut aussi être abordé de façon très différente, selon ce que l'individu recherche ou selon ce qu'il découvre au cours de son entraînement.

« Le Vol de la Grue, mouvement vivant » constitue la pièce maîtresse de ce livre. Il sert de soutien pratique à l'entraînement. Ce texte s'appuie sur les observations qui ont pu être faites, concernant les correspondances qui existent entre l'état de bonne santé et l'état de maladie. Son inspiration correspond tout à fait au point de vue taoïste à propos des Transformations.

Chapitre 14

SANTÉ ET MALADIE

A priori, les choses sont simples : chaque individu connait bien la différence entre la maladie et la bonne santé. Mais après réflexion, ces concepts ne sont plus aussi évidents qu'il y paraît.

Si l'on se réfère à l'Organisation Mondiale de la Santé, le concept de bonne santé s'entend comme un état de bien-être total sur le plan physique, mental et social. Cela n'implique pas seulement la notion d'absence de toute maladie ou de toute faiblesse physique.

Bien sûr un tel concept peut sembler un peu utopique — qui pourrait prétendre en effet à ce point de parfaite santé ? Et pourtant cela ne vaudrait-il pas la peine d'essayer d'approfondir cette notion et de chercher ce qu'elle peut bien recouvrir véritablement ?

Beaucoup de choses nous étonnent, qui nous sont rapportées de la Chine ancienne : par exemple les vrais Sages n'auraient pas soigné les malades. Ils auraient préféré apprendre aux personnes en bonne santé à mieux se connaître, à connaître « leur cœur et leur esprit ». De même les médecins n'auraient été rémunérés que dans la mesure où la personne ne tombait pas malade. Le jour où cela arrivait cependant, leur revenu était rogné d'autant.

De nos jours c'est bien le contraire qui se passe. Il faut qu'un individu tombe malade pour espérer obtenir quelque secours. Cette aide, il va devoir la payer de ses propres deniers, ou avec l'argent de caisses collectives.

N'est-ce là qu'une simple nuance dans la façon de voir les choses ?

Ce qu'il y a de remarquable, c'est qu'au fond ces deux points de vue, si on les prend indépendamment l'un de l'autre, se tiennent parfaitement. Simplement leurs logiques sont différentes.

L'une prend en compte les seules risques, les dégâts, telle la maladie. Et elle centre tous les efforts sur la levée de ce préjudice — c'est clair, net et « sans bavure » !

L'autre observe la vie et ce qui la compose : le jeu de ses multiples interactions.

Ainsi dans le monde visible, il y a une sorte de rythme naturel, comme le flux et le reflux de la marée, dont les effets semblent en harmonie avec ce que peut orchestrer le cosmos. C'est un peu comme s'il existait une logique interne à la nature.

L'organisme humain est observé comme un théâtre où se jouerait en miniature l'ensemble de ces interactions. Là-aussi le jeu d'ensemble peut être perturbé, d'où apparition de maladies ou de lésions.

On essaye alors d'agir sur la relation d'ensemble. Et une fois que ce jeu d'ensemble n'est plus parasité, la maladie disparaît d'elle-même.

L'attention va donc à l'ensemble et à ses harmoniques perceptibles dans l'organisme, et non pas à la maladie. Celle-ci n'est qu'un élément perturbateur du jeu d'ensemble, d'une organisation interne.

Dans le langage moderne, on dirait que c'est la prévention qui domine et que la bonne santé n'est pas seulement une absence relative de maladie ou de faiblesse. Mais cette façon de s'exprimer n'implique qu'un aspect superficiel des choses.

Ce que le taoïsme a compris sous le vocable « santé », c'est essentiellement une attitude intérieure de l'individu, une façon d'être. La santé du corps n'est que l'expression d'une connaissance, d'un état intérieurs, ce n'est pas l'objectif des soins ou des traitements corporels.

Voilà comment il faut comprendre ce que l'on a rapporté à propos des Sages qui apprenaient aux personnes en bonne santé à « explorer leur cœur et leur esprit ».

C'est donc par le biais de l'observation intérieure, que peut s'ouvrir la Voie des Transformations, l'Alchimie taoïste. Je reviendrai encore ultérieurement sur toutes ces correspondances, au risque de me répéter. J'espère toutefois quelque patience de la part du nouvel adepte, même si ce que je vais maintenant développer paraît parfois un peu froid et pragmatique.

Dans notre culture occidentale, c'est l'intervention qui joue le rôle principal quand les choses vont déjà mal. Ceci repose avant tout sur l'idée que la maladie n'est causée que par une aggression extérieure. Or la vérité c'est que tout organisme porte en soi les germes d'un refroidissement par exemple ou d'un cancer, mais que manifestement cela ne provoque pas d'affection systématique. Comment l'expliquer ?

Tout germe de maladie est porteur d'une information, qui a pour mission de pénétrer les structures de l'organisme et de les faire travailler ou de les utiliser à son intention.

Par exemple une cellule n'est pas soumise sans défense à un virus. Le germe ne peut nuire à la cellule que s'il trouve en elle le bon support qui va le laisser s'implanter et se développer. Et c'est justement là qu'intervient en premier lieu l'état de la cellule.

Si par exemple celle-ci est affaiblie, par un mauvais renouvellement de ses élément constituants, elle peut sans doute présenter un bon terrain d'accueil à l'information infectieuse. Ce n'est que dans ces conditions que le germe pourra devenir actif. Si c'est le cas, on croira cependant que la maladie n'a été provoquée que par une agression externe. La médecine occidentale interviendra dans ce sens. On essaiera de neutraliser le germe, de façon très spécifique.

Cette façon de faire a obtenu des succès non négligeables grâce à la découverte et à l'utilisation de produits spécifiques qui combattent certains germes de maladie, comme par exemple la tuberculose ou le choléra. On se situe là sur le plan de maladies aigües ou en intervention d'urgence.

Cela n'a pourtant pas grand'chose à voir avec ce que le corps peut lui-même mobiliser comme ressources interactives, intelligentes et parfaitement adaptées à son auto-guérison.

Souvent le corps pourra même être perturbé et affaibli dans ses fonctions vitales à cause des effets secondaires d'un traitement qui ne prend en compte que les symptômes, à l'occidentale.

J'aimerais ici attirer également l'attention sur les différentes « perturbations de la fonction ». Ce diagnostic vague n'est pas rare. On le propose particulièrement dans les cas où l'on n'a pu trouver ni germe d'infection, ni lésion physique de l'organisme humain, et dans le cas où pourtant quelque chose ne « fonctionne » pas. Il n'est pas possible de résoudre l'énigme concernant ces perturbations avec les moyens médicaux en usage en Occident.

Tout ce qui a trait aux maladies aigües, ou aux accidents, est issu d'une certaine éthique du traitement, qui s'épuise dans son combat quotidien contre la maladie et la mort, et qui a perdu justement toute notion fondamentale sur le sens de ce que sont cette maladie et cette mort.

Même la médecine psychosomatique, qui est de plus en plus reconnue comme spécialité, n'échappe pas à la règle : on aborde les questions concernant le corps et l'esprit, non pas en fonction d'un bon état de santé, mais à partir de l'apparition d'une maladie.

On peut ajouter que l'influence de cette médecine psychosomatique n'est que très limitée, de par l'hyperspécialisation de l'ensemble de la médecine.

Il n'y a d'ailleurs pas que la médecine qui soit responsable de tout ceci. Nous voyons là un reflet fidèle de notre tendance occidentale, qui tend à orienter l'être humain, systématiquement, vers une perception extravertie de la vie.

Nous essayons de résoudre nos problèmes extérieurement, et nous concentrons toute notre attention sur ce qui nous arrive du dehors. Nous appréhendons les choses et nous cherchons à les modifier, de l'extérieur.

La plupart du temps nous vivons chaque peine mentale et chaque maladie physique, comme essentiellement apportées par quelque cause externe. Par exemple : « ah ! Si mon amie ne m'avait pas abandonné, je ferais telle ou telle chose.... »

De la même façon ce n'est qu'une fois que le mal s'est installé, avec ses problèmes et ses symptômes, que nous attendons du psychologue ou du psychothérapeute qu'il nous apporte son aide.

Pourquoi rappeler tout cela ? Si nous voulons nous intéresser au Qi, à ses effets et à ses correspondances, nous ne pouvons le faire si nous restons sur un plan purement physique et matérialiste. Chaque perception, chaque changement d'humeur, trouve son expression à travers le corps.

Par exemple, la peau réagit immédiatement à un changement de conductibilité électrique. De même la respiration ou l'expression du regard sont de bons exemples de réactions immédiates du corps.

Les réactions à terme correspondent à des soucis ou à un surmenage durables, et occasionnent des perturbations corporelles à plus grande échelle, comme par exemple la modification des échanges cellulaires, de la circulation sanguine, des organes, des tissus et de l'équilibre hormonal, pour n'en citer que quelques-unes.

Lorsque l'on cesse de fixer son attention sur les seuls dommages et les seules « réparations » correspondantes du corps et de l'esprit, on peut envisager un véritable voyage vers l'intérieur de soi. Peu-à-peu nous allons découvrir que nous n'avons pas su faire autrement tout au long de notre vie, que nous inventer sans arrêt des histoires, à propos de tout et de n'importe quoi, à propos de l'être humain et des animaux. Et ce n'est pas tout. Nous orientons toute notre vie en fonction de cela. Si en effet, la vie est telle que nous nous la sommes inventée — peut-être d'ailleurs secrètement —, alors : Dieu, l'Univers, l'être humain, l'animal même, tout ceci est absurde et n'a pas de raison d'être, tout ceci ne vit que dans son propre intérêt, tout ceci est bon, tout ceci est sage, ou mauvais ou avide de pouvoir, ...et pourtant dans le fond aimable aussi ; tout ceci nous laissera tomber un jour et ...nous resterons seuls face à nous-mêmes.

Cela signifie que pour nous l'univers n'est pas un lieu sûr, nous y sommes contraints à l'impuissance, nous n'y sommes jamais véritablement présents à nous-mêmes, nous n'avons pas le choix, et pourtant ...nous sommes persuadés d'avoir raison dans notre façon de voir.

Nous nous en persuadons nous-mêmes, et cela nous rend malades. Quelque part, quelque chose semble nous avoir échappé. Nous avons oublié que c'est nous-mêmes qui avons bâti toutes ces histoires, que c'est nous-mêmes qui les jouons et même parfois que nous-mêmes sommes les spectateurs de notre propre jeu. Et en fin de compte nous en souffrons de façon bien réelle, dans notre corps et dans notre esprit. Il ne s'agit en aucune façon d'une maladie imaginaire.

Il n'y a pas de limite à une prise de conscience, à moins que l'on ne se laisse intimider par les avis ou l'étroitesse d'esprit de quelque école de psychologie ou de médecine.

Un conflit a vu le jour dès qu'ont commencé les investigations à propos du fonctionnement de notre esprit, autrement dit à propos de la logique de l'âme (Psycho-logie).

D'une part on voulait — et on veut encore — appréhender les faits bruts, de façon objective et rationnelle, tels qu'ils se présentent au quotidien.

D'autre part on découvrait, que toute chose se présente différemment, selon celui qui les observe, selon le moment où il le fait et selon la cause qui l'amène à le faire. Avec cette découverte, il est devenu évident que rien n'est isolé, rien n'est posé en soi, en toute objectivité.

Au contraire tout doit être replacé dans un contexte. Un exemple banal : quand j'ai faim, je peux être séduite par l'odeur de la soupe. Quand je n'ai pas faim, j'aère vite la pièce ! Ce n'est sans doute pas l'odeur qui a changé, mais mon état d'esprit. A un moment donné cet odeur m'a été agréable, à un autre moment elle me dégoûte.

C'est cette logique relativiste — où tout est replacé dans un système de causes et d'effets — qui fait partie depuis des millénaires du vécu intuitif et du système de pensée des cultures orientales.

Les taoïstes parlent du Tao, qui d'après eux se déploierait sur le plan visible et les bouddhistes du Dharma. Cela ne signifie aucunement que les Asiatiques n'ont aucune aspiration « linéaire », qu'ils n'ont pas d'objectif de pouvoir ou d'expansionisme, ou qu'ils ne se créent pas de système de hiérarchie sociale comme l'on fait par exemple les confucéens.

Tant que cette logique relativiste sera comprise comme un simple système de pensée parmi d'autres et ne sera pas intégrée dans le vécu quotidien de notre culture, nous continuerons à l'observer de l'extérieur comme une simple théorie de la connaissance.

Mais ce début de remise en question de la bonne vieille réalité concrète, « extérieure », doit tout de même être considéré comme une contribution notable de la psychologie occidentale à l'ouverture aux idées orientales, et ceci grâce à l'évolution même de notre pensée occidentale, et à ses conséquences.

L'idée que l'observateur, ses perceptions, et l'objet de sa perception, ne sont pas des entités isolées et séparables indifféremment les unes des autres, est quelque chose qui vaut maintenant pour chacun et chacune d'entre nous. Nous avons également acquis la certitude que nous nous inventons nous-mêmes à longueur de vie nos propres histoires.

Il n'y a pas que les savants ou les personnes qui s'occupent de thérapies, qui sont concernés par tout ceci. Nous savons désormais qu'il n'existe pas de faits « bruts », comme nous pouvions l'imaginer autrefois.

Je me souviens d'avoir discuté avec un physicien américain à propos des problèmes de mesure et de perception physiques et je me rappelle ce qu'il m'en disait : « Plus tu observeras avec attention, plus ce que tu examineras semblera t'échapper — et pourtant il y a bien quelque chose... » Nous étions tous les deux étonnés de retrouver cette idée aussi bien en psychologie qu'en physique, ... et pour moi, dans ma quête du Qi.

Si notre propos est de trouver la signification exacte des concepts de « bonne » santé et « mauvaise » santé, nos habitudes mentales ne nous prédisposent pas vraiment à cette recherche. Elles reposent en effet essentiellement sur l'idée de « bataille » à mener, et de « victime ». En effet nous prolongeons la vie à tout prix, nous déclarons la guerre aux germes de maladie, ou au contraire il nous semble que le destin nous ait vaincus, ou que nous soyons poursuivis par la « poisse »...

Une approche plus précise de ce que recouvre le concept de Qi peut éclairer d'un jour nouveau ces deux états de l'être humain — je parle encore de la santé et de la maladie.

Le Qi doit être entendu comme une énergie qui serait capable d'actions physiques aussi bien que non physiques.

Dans la première partie de ce livre, nous avions traduit le mot Qi par air, fluide subtil, énergie de vie, ou souffle. Si nous observons la transcription qui a pu être faite du mot grec « Psyche », on trouve aussi haleine, souffle, « ode », vie. Puis c'est le concept d'âme qui s'est cristallisé sur ce mot.

Le souffle, en tant que Pneuma et Spiritus, désigne plutôt un principe spirituel, une force active, qui essaime en soi. Ce principe d'In-formation (« formation à l'intérieur de soi ») correspond d'ailleurs tout à fait au Shen taoïste, alors que l'essence matérielle ou ses présupposés physiques correspondraient au Jing.

Toutes ces indications sont d'autant plus intéressantes que dans la représentation taoïste des Transformations, le Qi apparaît comme une force entre spiritualité et matérialité, qui tout simplement engendre la vie. Et cette force est active en tant que Yin et Yang.

Dans l'ouvrage classique de Médecine Interne de l'Empereur Jaune, il est fait mention de 5 méthodes de guérison possibles. La plus noble serait ce qu'il appelle « la recherche de l'esprit et du cœur ».

Comme nous l'avons déjà vu, les anciens Sages n'enseignaient le Tao, le « SENS », qu'aux personnes bien portantes. C'est ensuite que l'on cherchait la guérison par la nourriture, par la médecine, par l'usage d'aiguilles et de l'acupuncture, et enfin par des conseils sur la façon de s'occuper de son corps et de le traiter.

D'après la tradition, toutes ces méthodes de soins se seraient développées les unes après les autres, Les hommes auraient ensuite peu à peu oublié le « SENS » et à cause de cela ils auraient vécu dans une complète désorganisation intérieure.

Cela veut dire que l'organisation visible de l'univers n'aurait plus été perçue comme l'expression d'un « SENS ». Plus l'état de ce chaos intérieur aurait été grossier, plus les maladies externes seraient devenues pénibles à supporter.

C'est en fonction de cet état toujours empirant de l'être humain que se seraient développées ces 5 méthodes thérapeutiques successives, en partant de ce qu'il y a de plus raffiné, (le Shen), et en allant vers ce qu'il y a de plus grossier (le Jing).

La raison pour laquelle on enseignait le Tao aux personnes en bonne santé exclusivement, tenait simplement au fait que celles-ci n'avaient pas encore vécu a contrario de ce qu'est le « SENS ». La révélation du Tao était donc possible par simple introspection directe de chacun.

C'est à travers l'ordre intangible de l'Univers que ce « SENS » peut se manifester, d'après le point de vue taoïste. Et cet ordre intangible on le retrouve de la même façon dans le monde physique visible.

C'est approximativement à ces 5 niveaux de soins que correspond l'art thérapeutique du Qi Gong. Il va en effet du plus grossier au plus raffiné : du Qi Gong actif, externe, au Qi Gong interne, silencieux, puis à la méditation, enfin à la révélation directe.

Dans la médecine chinoise traditionnelle, on décrit les blocages de Qi comme des perturbations qui précèdent la douleur. Autrement dit, avant toute manifestation physique de la maladie un changement énergétique pourra être perceptible.

En Europe les « voyants », les médiums, et toutes les personnes douées d'une sensibilité particulière ou de pouvoirs dits « surnaturels », racontent qu'ils peuvent sentir et reconnaître à la couleur de l'aura, ou du rayonnement énergétique d'une personne, l'état de santé dans lequel cette personne se trouve. Ce corps astral rayonnant envelopperait le corps physique et il pourrait s'assombrir bien avant qu'une maladie ne se déclare.

De nos jours on peut mettre en évidence ce rayonnement par la photographie à haute fréquence, ce qui peut être très utile pour porter un diagnostic. On pourra de la même façon rendre perceptible et visible l'action des exercices de Qi Gong.

Sur ce type de photo, on peut observer par exemple le rayonnement des pieds et des mains d'une personne avant et après son entraînement Qi Gong. Même les évolutions spirituelles ou mentales laisseraient donc des traces sur ces images.

Si le changement énergétique intervenu n'est pas traité à temps, l'individu court le risque de tomber malade. Ceci se passe de la façon suivante : son champ énergétique évolue. Ce ne sont pas les symptômes d'une maladie que l'on va d'abord observer, mais plutôt des sautes d'humeur, une irritabilité inhabituelle. Si le changement s'installe dans le champ énergétique de la personne, cela aura des conséquences externes en termes de perturbations fonctionnelles.

Sans qu'on puisse l'expliquer exactement, la personne ne se sentira pas bien, elle souffrira d'ennuis cardiaques par exemple, ou circulatoires, ou digestifs, ou montrera d'autres symptômes primaires auxquels on ne trouvera aucune cause organique.

A ce stade, il est fréquent que l'on entende dire : « je suis allé chez le médecin, d'après lui je vais parfaitement bien du point de vue organique ».

Ces deux premiers stades d'évolution peuvent mettre des années à se développer, avant qu'un changement organique n'intervienne vraiment ou qu'un germe de maladie dangereux ne trouve sa « chance » !

Peut-être sera-t-il plus facile de saisir ces stades ou ces différents niveaux d'évolution de la maladie ou de la guérison, si nous les comprenons, de façon plus simplifiée comme des mécanismes d'in-formation.

Niveau de l'In-formation	SHEN	Energie spirituelle
ou	QI	Energie de la vie et de l'âme
Manifestation de l'ordre ou de la « désorganisation »	JING	Energie physique

Aucun de ces niveaux n'est dissociable, en tant qu'unité en soi, indépendante des autres. Sur le plan physique, c'est la cellule qui représente le plus petit élément organisé de la vie. En son noyau elle contient des informations, son organisation structurelle, qui génèrent son activité propre, et sa réceptivité aux excitations (aux échanges d'information).

Si le Qi n'anime ou n'inonde certaines cellules que de façon incomplète, ce sont leurs facultés d'échange de matière qui vont être perturbées et de même leur capacité à échanger des informations. (Je dois la connaissance de ces correspondances en particulier à Bennie Bainbridge Cohen, qui travaille sur la respiration cellulaire. Voir aussi le chapitre concernant la respiration Qi Gong).

Le Qi Gong actif, le travail du Qi, part avant tout du principe des échanges d'informations au niveau énergétique. Si une cellule est animée par le Qi, elle pourra réagir de façon très différente à un germe de maladie — plus précisément à l'in-formation caractérisée qu'il porte — comparé à ce que l'on peut s'attendre à observer en cas de circulation médiocre ou insuffisante de Qi.

Un exemple à ce propos : aux temps des grandes épidémies, il y eut en Europe des individus qui ont été vénérés comme des Saints, parce qu'ils s'occupaient de malades ou de mourants sans se laisser contaminer.

On disait d'eux, qu'ils étaient « en grâce ». Il fallait que cet état de grâce soit bien diffus dans l'ensemble de l'organisme, depuis les racines spirituelles jusqu'aux récepteurs cellulaires physiques, pour que l'information de maladie soit en effet rejetée.

Quelle que soit la réaction que l'on peut avoir à tout ceci, l'ensemble de ces correspondances et toutes les hypothèses qui s'offrent ainsi nouvellement à notre logique, valent peut-être la peine que nous les étudions avec patience et avec énergie, sans faillir.

On pourrait d'autre part entrevoir des conséquences de plus grande portée encore, si l'on voulait bien appréhender les maladies virales dites incurables, comme le SIDA par exemple, sur un plan énergétique pré-somatique. Jusque-là elles ne l'ont été que sur un plan purement physiologique.

Cela veut dire que l'on tenterait d'agir sur la manifestation physiologique jusque-là imparable de la maladie, au niveau moyen du champ énergétique, celui de l'âme

Quand on travaille avec des aiguilles d'acupuncture, on fait une manipulation énergétique en fait assez grossière, car elle agit de l'extérieur. Le Qi Gong, lui, si les exercices sont bien suivis, est un moyen d'action de l'intérieur.

Le corps se transforme par libération d'énergie sur le plan cellulaire, sans intervention externe. L'énergie recommence à circuler.

Par un effet dynamique, et grâce à l'équilibre toujours croissant de nos forces fondamentales, c'est aussi l'esprit qui devient plus agile et qui trouve désormais des réponses originales à nos problèmes quotidiens.

Ces solutions nouvelles et originales réagissent elles-mêmes sur notre organisme, par exemple en nous évitant bien des tensions et de réactions de stress. Tous les blocages énergétiques correspondants se dissipent donc.

Aucun des différents plans que nous avons observés n'est isolé. Quand on réussit à harmoniser, par son entraînement Qi Gong, les mouvements de l'esprit ou de la conscience avec ceux de l'âme et du corps, on peut arriver à ce que le « grand Ordre » s'épanouisse en nous : le jeu des échanges entre Yin et Yang.

Il ne s'agit en aucun cas d'opter pour quelque fanatisme ou théorie de l'unité, mêlant l'abstrait et le cosmique.

Dans la description du « Vol de la Grue, mouvement vivant » (chap. 15), nous expliquons plus avant ce qu'est en fait ce jeu d'échanges et cet ensemble. Ce jeu interactif n'a véritablement de sens, et n'est en tout cas curatif, qu'à partir du moment où chacun en fait sa propre expérience.

Bien sûr tout instructeur de Qi Gong, même compétent, n'en est pas pour autant un maître spirituel éclairé. En République Populaire de Chine ce sont le plus souvent d'anciens malades guéris grâce à la pratique du Qi Gong qui transmettent aux autres l'art de ces exercices, après une formation appropriée.

Certains rapports de la Société Nationale Chinoise pour la Recherche Scientifique du Qi Gong, affirment que des résultats positifs ont pu être obtenus dans des cas de maladies graves comme le cancer, le diabète, l'asthme, les maladies du cœur, etc... (on trouvera plus loin une liste des maladies sur lesquelles le Qi Gong a eu des effets bénéfiques).

En même temps qu'une certaine « désorganisation générale » en Chine, en Europe et en Amérique, c'est un certain mal-être du corps qui s'est imposé de plus en plus et arrive au premier plan de nos préoccupations. Dans notre société comme en Chine, on fera plus cas d'un infarctus, d'un accident ou d'un ulcère à l'estomac, que d'un chagrin familial, d'un deuil mal surmonté ou de l'abandon de projets professionnels ambitieux. Il faut dire qu'en Chine l'expression des sentiments reste tabou.

La « désorganisation » latente en Europe a conduit à la séparation « organisée » des thérapeutes en deux catégories : ceux qui traitent le corps et ceux qui traitent l'esprit. On ne consulte ces derniers que dans les cas extrêmes, non parce qu'on est « dérangé », mais parce qu'on est malade.

Dans la Chine d'aujourd'hui tout ceci se présente de façon légèrement différente. Des crises d'angoisse nocturnes par exemple seront simplement diagnostiquées comme perturbations de l'énergie des reins. Dans les cabinets médicaux, il n'est pas courant de parler de ses problèmes personnels, et pourtant de nombreux conseils d'ordre général sont proposés aux patients à propos de leur conduite au quotidien. C'est ce que rapportent en tous cas les étudiants en médecine occidentaux qui ont vécu en Chine.

Mais pourquoi faire état de ces tendances apparemment sans beaucoup d'intérêt de la médecine traditionnelle chinoise ? Les orientaux peuvent ou non choisir de prendre en héritage la totalité des acquis de la médecine européenne et américaine, y compris ses erreurs. De même il ne dépend que de notre volonté de les imiter et de décider ou non de « gober » ce qui nous est proposé dans la « pochette surprise » chinoise ! Ce qui subsistera à long terme de toutes ces merveilles, c'est la sagesse ni plus ni moins, celle cumulée en orient comme en occident : la sagesse du corps vivant.

Toute maladie porte en soi un message, qui a un rapport étroit avec ces fameuses « histoires » que nous nous sommes nous-mêmes fabriquées et que nous avions jusque-là oubliées. En tombant malade, nous avons fait ressurgir l'une de ces histoires, et alors ce n'est pas du tout d'une douleur imaginaire que nous souffrons, mais bien d'une douleur réelle.

Les maladies agissent avec nous comme des pense-bêtes, elles nous aident à ne pas oublier que nous avons des choses à régler en nous-mêmes. Simplement ce qui est écrit sur le pense-bête nous est peu à peu devenu indéchiffrable. Peut-être allons-nous tout d'abord être pris de peur, en commençant à le redéchiffrer, en remontant le cours de nos propres histoires

Si nous pouvions prendre un peu de recul que ne serions-nous capables de faire, sans plus aucune raison d'avoir peur, sans plus rien qui nous empêcherait d'y voir plus clair parmi nos innombrables histoires secrètes ?

La maladie est donc en soi une information qui nous est proposée. Nous pouvons l'accepter, mais nous pouvons aussi la refuser ; nous pouvons en faire ce que bon nous semble, en devenir l'esclave, l'ignorer quelque temps, ou travailler de concert avec elle et être attentifs à ce qu'elle a à nous délivrer comme message.

Si nous avons vraiment la volonté de guérir, notre maladie peut nous conduire jusqu'à la source, là où l'on pourra découvrir l'origine de toutes nos « histoires », là où est née notre désorganisation. On dit même que l'arbre de vie et l'arbre de la connaissance passent par-là, au-dessous de cette source, là où le Yin et le Yang se rejoignent et se reconnaissent, là où s'épanouit le « SENS ».

Maladies qui ont pu être traitées grâce au Qi Gong du « Vol de la Grue »

Hypertension, divers ulcères comme ceux de l'intestin grêle ou du duodénum, leucémie, maladies cardiovasculaires, infections intestinales, hépatite, varices, stérilité de l'homme ou de la femme, inflammation des voies urinaires, maladies neurologiques, inflammation laryngée, décollement de la rétine, bronchite, asthme, arthrite, diabète, maux d'estomac, thromboses cervicales, insomnie, inflammation de la prostate, prolapsus anal, empoisonnement par ingestion de produits chimiques, inflammation des ménisques, douleurs nerveuses de différentes sortes, inflammation rénale, inflammation vasculaire, inflammation de la moëlle épinière, sénilité précoce ; la prolifération de certaines cellules cancéreuses a pu être stoppée.

Des patients chinois ont admis qu'une amélioration s'était fait sentir après deux à quatre mois d'entraînement assidu du Qi Gong. Plusieurs ont témoigné d'une nette amélioration de leurs facultés visuelles. Chez les personnes d'un certain âge on a pu constater un rajeunissement de tout l'organisme.

D'après mon expérience, des résultats sont également possibles en cas d'hypotension, ce qui n'est pas étonnant puisque l'objectif du Qi Gong est bien aussi de réguler la circulation dans l'ensemble de l'organisme.

Chapitre 15

LE VOL DE LA GRUE, MOUVEMENT VIVANT

Début de l'entraînement — apprentissage de la forme

Au début de l'entraînement, certaines contingences pratiques vont s'imposer à nous comme de toute première importance. Il faudra par exemple que nous trouvions un endroit approprié pour pratiquer le Qi Gong -en intérieur ou en extérieur-, il faudra de même inclure notre entraînement dans notre rythme de vie habituel, de façon à ce que notre emploi du temps soit pratique et que le Qi Gong ne reste pas un simple vœu pieux dans notre imagination.

On sait à peu près combien de temps il faut compter pour chaque entraînement. De même on peut facilement évaluer combien de m² sont nécessaires pour la pratique du Qi Cong. Tout ceci constitue une petite somme de décisions préalables, que nous allons devoir prendre en fonction de notre habitude à gérer notre temps et notre espace.

Au cours des premières leçons, nous allons suivre des yeux les évolutions de l'instructeur(trice). Nous percevrons chaque forme (chaque enchaînement) telle qu'elle se déroule sous nos yeux. De même nous entendrons les explications à propos de tous ces mouvements, et nous essaierons d'intégrer les informations sur les points des méridiens qui nous seront indiqués comme essentiels.

Si, comme la plupart des occidentaux, nous n'avons pas reçu de formation particulière dans quelque discipline gestuelle ou corporelle que ce soit, et que nous avons perdu le sens inné du mouvement qu'a l'enfance, nous allons essayer tout d'abord de suivre les enchaînements par la pensée.

Puis, quand nous commencerons à percevoir les démonstrations de l'instructeur(trice) avec notre corps, physiquement, nous verrons que ce que nous nous étions représenté en pensée à propos de ces mouvements ne correspond pas à ce que nous faisons en réalité. L'une de nos jambes va partir à gauche au lieu d'aller à droite. Nos genoux vont s'effacer sans que nous y prenions garde. Nos poignets vont se raidir et se mettre à angle droit, nos épaules se hausser, comme si toute notion de décontraction ou d'épaules basses nous était étrangère. C'est peut-être là déjà que va casser le fil ténu de notre représentation intellectuelle, celle que nous avons au début à propos des différents enchaînements.

Ces premières difficultés peuvent mettre en échec certaines personnes, d'autant plus que l'effet pratique du Qi Gong n'existe pas encore.

Pour la plupart des occidentaux, c'est la conscience intellectuelle qui prime lors de l'apprentissage de mouvements. Il s'agit d'un apprentissage qui se fait de l'extérieur vers l'intérieur.

De façon tout-à-fait originale par rapport aux autres pratiques gestuelles orientales, c'est souvent le langage qui va être utilisé pour faire comprendre comment s'enchaînent les mouvements dans le « Vol de la Grue ». Cela n'est pas étranger au fonctionnement de bien des individus dans notre culture occidentale.

La logique des mouvements va donc être comprise plus vite et leur action curative interviendra d'autant plus rapidement.

Il en va de même des options que nous prendrons quant au lieu et au moment les mieux appropriés pour notre entraînement. La prise de décision intellectuelle, comme les mots, peuvent en effet nous aider à nous mettre dans les dispositions les plus favorables qu'exige notre état de santé.

Comme avec la maladie physique, c'est notre état de santé mental et spirituel, qui se reflète dans notre maintien et dans notre façon de nous mouvoir. Ceux-ci en sont les manifestations visibles.

D'habitude nous nous identifions facilement à notre corps physique : je suis malade ; je suis trop gros(se), trop pâle, et c'est pour cela que je vais mal.

Et pourtant la conscience que nous avons de notre corps n'est au fond qu'assez peu développée. Nous ne sentons par exemple nos pieds que lorqu'ils nous font mal. Sinon, ils nous portent sans que nous y prêtions attention, tout au long de la journée. La façon dont notre corps vit nous est donc pratiquement inconsciente.

Avec le Qi Gong nous avons la possibilité de lever cette identification aveugle et ignorante à notre corps. Nous savons bientôt comment être utiles à nous-mêmes, et la maladie ne nous atteint plus comme si elle tombait du ciel.

Il va maintenant nous falloir chercher à comprendre comment inter-agissent en fait le Qi, l'enchaînement des exercices, ce que nous sentons, percevons et pensons, et même notre conscience.

D'abord il va nous sembler avoir des pieds de plomb, qui veulent aller leur propre chemin, et non pas prendre celui que nous leur commandons. Pour la première fois nous entrons en contact avec notre colonne vertébrale, bloquée comme de la glace, et habituellement d'une grande raideur. Même nos muscles, durs et fermes peut-être, ne présentent plus que des formes sans harmonie au lieu de formes arrondies et souples.

Notre état de santé initial va devenir pour nous un terrain fertile à partir duquel nous choisirons de travailler, avec la patience nécessaire.

Nous apprendrons aussi en premier lieu que si beaucoup de choses ne vont pas bien, ce n'est pas forcément préjudiciable en soi.

De même que nous pouvons nous réjouir de retrouver quelque chose que nous croyions avoir perdue, et qui de ce fait nous était devenu d'autant plus précieuse, de même allons-nous redécouvrir lentement et avec joie ce que nous savions déjà à l'origine : l'art de nous mouvoir librement, celui d'être.

La sensation du Yin et du Yang — Lâcher-prise et contrôle

Tant que nous avons exécuté la suite des mouvements externes et que nous avons sollicité les méridiens correspondants, il nous était impossible de faire autrement que de mobiliser tous nos sens et toutes nos pensées sur ces exercices. Sinon, il nous aurait été impossible d'apprendre ces mouvements.

Cela ressemble un peu à la conduite d'une voiture. Au début, chaque geste réclame une attention et une prise de décision permanentes, en toute conscience. Puis avec le temps, nos gestes deviennent automatiques. Nous n'avons plus de façon aussi impérieuse à penser à chacun de nos réflexes.

Dans le Qi Gong, c'est un peu la même chose. Au début, si notre esprit dérivait sur quelque détail hors sujet, ou sur n'importe quel souvenir, rien ne fonctionnait plus, car il nous fallait encore penser de toutes nos forces à ce que nous étions en train de faire.

Maintenant que nous connaissons mieux les enchaînements, l'énergie va se libérer grâce au soulagement ainsi apporté à notre esprit.

Tout va désormais dépendre de ce que nous allons faire de cette liberté-là. Nous pouvons en effet mettre à profit un tel soulagement pour disperser nos pensées et laisser aller nos mouvements superficiellement : nous passons simplement sur « automatique ».

Si c'est l'attitude que nous adoptons, notre corps va bientôt être coupé de toute conscience. L'énergie qui s'était libérée, grâce au soulagement que nous évoquions, va s'en aller en fumée.

Cela arrive très fréquemment, une fois que nous connaissons les enchaînements, quand notre conscience et notre force d'imagination n'ont plus à orienter toute notre attention sur le mouvement.

Une autre option serait de continuer à concentrer toute notre attention sur le mouvement : on pourrait alors observer une réelle évolution des choses. L'enchaînement pénètre alors en nous, depuis le niveau de la conscience mentale jusqu'au niveau de la conscience sensorielle, celle du corps. Nous commençons à accorder notre conscience au rythme de notre enchaînement, à synchroniser conscience et mouvement. L'énergie libérée est alors accumulée.

Cette énergie représente la force qui nourrit chacun des progrès que nous faisons en nous entraînant. C'est alors que commence l'entraînement proprement-dit.

Le Qi Gong actif procède du va-et-vient de la force Qi, du Yin et du Yang, de l'alternance relâchement-tension. Dans chacun des cinq enchaînements actifs nous pouvons percevoir cet échange permanent, comme un reflet du fameux « Meurs et Sois ! », qui n'est pas une notion très facile pour notre logique.

Toute tension se manifeste en un mouvement. Ce n'est que lorsque les muscles se contractent que peut intervenir un mouvement visible. La force de détente récupère cette tension, cette forme, et elle laisse éclore un nouvel enchaînement.

Dans l'Enseignement Intérieur du Taoïsme, on dit que cette force de détente, cette force du néant, n'est finalement qu'une ouverture secrète, la force originelle tout simplement. Comme il est difficile de savoir exactement ce qu'est ce mystère originel, on parlera plutôt dans la pratique quotidienne de « Yin-Qi », pour désigner cette force béante, ce lâcher-prise, cette mutation.

Dans le 1er enchaînement par exemple, quand nous levons nos bras tendus, paumes tournées vers l'avant, du Qi va être aspiré par Laogong. Les bras sont alors tendus bien droits, mais pas raides. On a alors une manifestation du Yang. Puis si nous faisons aller et venir nos bras, glissant comme une vague légère, la tension rectiligne va se relâcher, et Laogong va aspirer le Qi. La tension des muscles se desserrera, mais ne se dissipera pas ; elle ne disparaît pas.

C'est ainsi que se manifeste le Yin. Dans ce mouvement de vagues, nous pouvons sentir l'alternance du relâchement et du contrôle. Le Yin amène le Yang, le Yang remplace le Yin. Ils s'interpénètrent l'un l'autre.

Si dans la vie nous prolongeons un mouvement Yang, la tension va devenir une hypertension. Nos mouvements comme nos muscles vont se durcir. Si nous nous laissons aller à un mouvement Yin prolongé, le relâchement va se transformer en dissolution complète. La forme des mouvements va nous échapper et nos muscles vont perdre toute vigueur. On doit interpréter hypertension et évanouissement comme un gaspillage d'énergie Yang et Yin, et non pas comme leur manifestation polarisée et caractérisée.

D'ores et déjà on doit pouvoir comprendre combien la pratique du Qi Gong est en fait peu différente de ce que nous faisons dans notre vie quotidienne. Après une journée particulièrement épuisante et tendue par exemple, il nous arrive de nous affaler le soir complètement épuisés sur notre lit. Le jeu interactif du Yin et du Yang est alors interrompu, le cours du Qi affaibli, pendant la journée à cause de la trop forte tension et le soir à cause de notre épuisement total.

Autre variante : l'insomnie, quand nous n'arrivons plus à évacuer les sur-tensions de la journée pendant la nuit. Le Yin et le Yang sont alors en opposition.

Si les perturbations du jeu Yin-Yang et l'opposition surexcitation-épuisement deviennent une chose courante en nous, cela va se réflèter dans notre constitution physique : nos muscles seront flasques ou durcis. Cela va peut-être aussi avoir des répercussions sur notre état moral : apparaissent alors la dépression et l'agressivité.

Sur le plan intellectuel nous connaîtrons aussi dans une certaine mesure un état de distraction incontrôlé, ou d'hyperconcentration.

Le Yin et le yang ne se manifestent pas seulement en tant que relâchement ou tension. Au cours des exercices de notre entraînement, nous pouvons approcher encore d'autres aspects de ces deux qualités.

Ainsi on dit des mouvements ronds et ouverts Yin, qu'ils nourrissent, et des mouvements tendus et clos Yang, qu'ils purifient. Fermé, clos, signifie ici déterminé, exclusif, autonome, dans la forme.

En y regardant de plus près, nous pouvons voir que le Yin et le Yang apparaissent d'une part en alternance, et d'autre part toujours en même temps. C'est ainsi que le caractère purificateur de l'expiration par exemple sera désigné comme Yang, mais son caractère de relâchement comme Yin. C'est justement cette présence concomitante du Yin et du Yang, du Yin dans le Yang et du Yang dans le Yin, qui va moduler le jeu des échanges entre Yin et Yang et empêcher la suprématie de l'un sur l'autre.

Si nous arrivons à ne plus mobiliser tout notre esprit uniquement sur la forme de l'enchaînement, mais que nous portons notre attention simplement sur la mobilité de notre corps, nous percevrons les échanges dynamiques entre Yin et Yang, de façon de plus en plus évidente en nous.

Grâce à cette nouvelle sensation, nous serons de nouveau branchés sur le rythme originel, par lequel naît la vie.

Chaque mouvement du « Vol de la Grue » porte en soi cette in-formation. Tant que nous en restons au stade de l'idée, d'une représentation mentale du Yin et du Yang, et de cette forme de mouvement, les cellules de notre corps ne vont jouir d'aucune mutation véritable.

Ce n'est que la concrétisation dans notre chair de toutes ces énergies, qui va réussir à animer nos cellules et à stimuler leur respiration propre et leur transformation. Elle va les purifier, les nourrir et les vivifier.

Comment cela est-il possible ? Si nous essayons véritablement de percevoir en nous ces mouvements lents, sans oublier notre sourire interne, notre esprit pourra avec le temps pénétrer jusqu'à nos cellules. Il ne faut pas confondre cela avec un processus de pensée automatique.

Il nous est tout simplement possible d'amener notre conscience par exemple dans le Dantian, ou jusque dans nos pieds, ou dans nos mains. Cela n'a rien à voir avec le fait de « penser à sa main », ou même de nous concentrer sur elle.

Lorsque nous dirigeons notre esprit sur notre main, par le biais de nos perceptions sensorielles, nous ne pensons pas à notre main, nous la sentons véritablement, en toute conscience. On ne dira plus simplement que nous avons une main, mais que nous « sommes » notre main.

Il en va de même pour la forme de nos exercices, et pour le jeu du Yin et du Yang. Quand nous n'aurons plus besoin d'y réfléchir intellectuellement, nous serons nous-mêmes, à notre façon, le Yin et le Yang, et nous en aurons les propriétés.

Moi-même, je ne prétendrais pas avoir atteint ce degré d'évolution. Ce qui m'a été donné d'approcher jusque-là n'est qu'un avant-goût de cette perfection-là, mais je ne puis douter de la validité de mon expérience.

Si j'ai voulu témoigner de ces phénomènes, c'est que j'ai espoir que cela puisse aider d'autres personnes à trouver le chemin de la mutation, la voie des Transformations. Car même si les sages taoïstes s'immergent dans ces Transformations pour trouver le SENS de toute chose, ceci ne reste pas une exclusivité taoïste.

Les Transformations ne sont en effet pas une religion, pour ou contre laquelle il faudrait prendre position. Nous tous, sans exception, sommes soumis au « Meurs et Sois enfin ».

Pour beaucoup ce qui sera décisif, c'est la guérison grâce à leur entraînement Qi Gong. La santé du corps est en effet la base de toute notre vie. Et cette santé s'épanouit de façon durable, si l'on reprend le rythme originel Yin et Yang, et si nos cellules sont par-là redevenues sensibles et vivantes. Nous allons le montrer de façon encore plus évidente dans le chapitre qui suit.

Les voies de l'énergie sont comparables à des artères, à celles qui apportent le sang à l'ensemble des tissus du corps. Si l'on remet en service le circuit énergétique, le flux de l'énergie ne se limitera pas aux seuls méridiens et aux seuls Dantians.

Dans chacune des cellules de notre corps, dans chacun de nos organes, dans nos os, dans notre sang (que l'on peut lui-même considérer comme un tissu fluide), et dans tout notre organisme, on peut percevoir ce mystère de l'ouverture et de la fermeture, ce jeu du relâchement et de la tension, cette alternance interne-externe, perméabilité-retenue.

En fin de compte, le Yin et le Yang, les méridiens, les Dantians, comme les 5 éléments, ne sont que des images et des concepts. Ils nous permettent de mettre en évidence ce qui se passe véritablement en nous. Ils sont là pour nous sensibiliser aux événements de notre corps, pour nous y ouvrir.

Une fois que nous avons compris l'ensemble de ces jeux interactifs, les grands principes, il est bon de laisser tomber toute image et tout concept mental. Sinon, ceci pourrait bien nous empêcher de sortir d'un système de correspondances trop étroit et matériel (cela ne vaut pas seulement pour les concepts orientaux).

Le mystère du Yin et du Yang ne peut donc être perçu avec le seul mental — exactement comme il serait impossible d'expliquer à un esquimau quel goût peut avoir une fraise, même s'il parle notre langue ! La seule explication valable serait de manger cette fraise !

Au niveau le plus profond — et le plus élevé à la fois — le mystère Yin-Yang apparaît comme une opposition complémentaire, celle du néant et de la forme. Ce qui ne veut pas dire reniement du monde concret, mais plutôt vie reconnaissante, éveil au monde.

Si j'écris tout ceci, c'est qu'au cours de l'apprentissage, cette question revient souvent : est-ce que les exercices comme le Qi Gong et la méditation ne conduisent pas en fin de compte à une espèce de mise à l'écart, à un retrait du monde ?

Il n'est en effet pas nécessaire d'émigrer vers l'Himalaya ou la Chine pour trouver la piste qui mène au Grand Secret. Il suffit simplement d'être d'une certaine façon entièrement présent à son propre corps, et le secret s'épanouit alors, lentement, de lui-même.

Il ne s'agit pas de nous laisser aller à une sorte de détachement sans conscience, mais plutôt de trouver un équilibre, un état de tension relâchée, en d'autres termes une ouverture vigilante.

« L'ouverture » sous-entend que tout ce qui est et sera, a le droit d'exister. Nous n'avons plus qu'à être là, simplement, en toute authenticité, sans artifice ni contre-façon. Cette ouverture est Yin. Et sans un minimum d'ouverture aucun secret ne sera révélé, aucun processus intéressant ne s'épanouira !

Mais l'ouverture, l'authenticité, ne nous apportent rien sans la vigilance. Cet éveil, la vigilance, c'est une attention, une capacité de regard en soi et hors de soi, « comme si l'on ne regardait pas ». Cela n'est ni contrôle, ni fixité une fois pour toutes, ni jugement porté.

En association avec l'ouverture, la vigilance a qualité de Yang.

Très souvent on confondra vigilance et contrôle, éveil et manipulation. Pourtant même dans les exercices, il peut se glisser de l'à-peu-près, une certaine inexactitude — nous n'avons pas à le juger.

Si nous sommes vigilants et ouverts, il nous est facile de détecter une imprécision, et de la transformer par notre seule réceptivité sensible, en mieux, en quelque chose de juste et de bien posé.

Si par exemple, lors d'un cours de Qi Gong, il est demandé de redresser les poignets, notre conscience va intervenir sur le mouvement. Elle contrôlera et manipulera notre corps, par référence à un ordre reçu de l'extérieur.

Nous aussi, de la même façon, nous pouvons nous donner des ordres « de l'extérieur ». Le flux de l'énergie risque alors de se briser. Si notre conscience est en état de veille et d'ouverture, elle va enregistrer la commande comme bienfaisante, et « de l'intérieur ». Elle va la laisser s'insinuer en nous, dans notre poignet, que nous percevrons alors dans toute sa plénitude. Ce sera comme un léger attouchement. Le flux de l'énergie ne sera pas interrompu.

Vigilance signifie ici acceptation et perception du flou, de l'inexact, sans esprit critique. L'ouverture, dans ce contexte, s'exprime par une attitude de tolérance : il ne s'agit pas d'empêcher à tout prix ce qui ne serait pas conforme à ce que nous avions souhaité ou attendu, mais de se comporter simplement différemment à l'égard de cet imprévu.

Même les Chinois ont quelque difficulté lors de leur apprentissage. Cheung Chun Wa m'a souvent dit : « la grosse difficulté réside dans le fait que souvent les élèves ne se perçoivent pas bien dans le mouvement. Sans cette perception sensible, on peut essayer des années durant sans que rien ne se passe jamais. » J'ajouterais : « excepté le côté purement technique des choses » !

Par exemple la bonne synchronisation du mouvement est souvent perçue comme un contrôle. Pourtant il ne s'agit là que du fameux accord sensible entre conscience et mouvement. La conscience qui pense le mouvement se transmue en une impulsion sensible et vigilante du mouvement.

Encore une fois je voudrais impliquer là notre vécu quotidien, celui d'avant et après l'exercice. Notre entraînement peut en effet être compris comme un espace et un moment où nous sommes à la recherche des principes de base de notre vie, et où nous expérimentons le « Meurs et Sois enfin ! », avec notre corps, notre âme et notre esprit. Nous nous créons là un espace privilégié et protégé dans lequel notre expérimentation va pouvoir gagner peu à peu en profondeur.

Avec cette nouvelle dimension, va croître également une certaine confiance qui nous portera dans notre vie de chaque jour. Notre vécu quotidien se développe en effet à partir des mêmes échanges et des mêmes inter-actions qui sous-tendent notre entraînement Qi Gong.

Le temps de nos exercices peut donc devenir pour nous un espace libéré de toute pression et de tout enjeu superfétatoire, où nous aurons la possibilité, simplement, de percevoir ce qui est, et comment cela se passe en nous, sans la voix du critique — ou du contrôle — intérieur et extérieur, qu'il est souvent si difficile de faire taire.

C'est justement de là que provient l'un des principaux facteurs de souffrance et d'auto-destruction : trop souvent, on confond vigilance avec contrôle et conditionnement. C'est alors qu'intervient le blocage de toute énergie rythmée.

Avant même sa première émergence, on va étouffer l'alternance rythmique qui existe entre relâchement et tension, entre non-faire et faire. Sur le plan psychique, cela porte atteinte à nos fonctions vitales.

Sur le plan énergétique et spirituel, cela nous appauvrit et nous alourdit, tout en bloquant notre énergie de vie.

Sur le plan mental, cela nous conduit à ne plus penser qu'à travers les opinions et les jugements des autres, et à ne plus relativiser les nôtres. (Dans le chapitre relatif à la santé et à la maladie, nous avons abordé le problème de toutes ces « histoires » que nous nous inventons...). L'ouverture et la vigilance originelles vont alors être marquées et rester dans l'ombre.

La conduite de l'énergie à travers tout le corps n'est pas non plus un acte de contrôle. Cheung Chun Wa disait souvent de « ne pas prendre cela trop au sérieux ». Que voulait-il dire par là ?

Par exemple, visualisons notre énergie et laissons-la descendre depuis le sommet de notre crâne jusqu'au bas de notre ventre, puis remonter du périnée et du coccyx, tout le long du dos ! Ce glissement n'a aucun caractère de pénétration rigide et volontariste, il ne vise aucun objectif précis. Si le fil que nous sentons chaud en nous casse là, ou si nous ne pouvons le rendre perceptible, nous passons prudemment à autre chose.

Le glissement de notre attention agit comme une impulsion ouvrante, qui a la vertu de pouvoir réveiller le flux énergétique en nous. Si nous recherchons sans relâche la sensation des liaisons et des correspondances qui existent en nous, dans l'immobilité comme dans le mouvement, cela agira comme une sensibilisation purificatrice.

Cette recherche de mobilisation du Qi, en toute conscience, ou même le simple désir d'évoluer en accord avec le schéma prévu des mouvements de Qi Gong, porte un caractère Yang plus marqué encore que celui de la vigilance. Celle-ci apparaît ici en tant que Yin. Par contre, si on considère la vigilance en rapport avec l'ouverture dont nous parlions plus haut, elle sera une manifestation Yang.

Dans l'art du Qi Gong, les articulations de notre corps ont une importance particulière. Nous ne ferons donc pas l'économie d'observer ce qui s'y passe.

Si l'énergie est bloquée ou accumulée en trop grande quantité dans nos articulations, son flux va être interrompu dans l'ensemble de l'organisme. Peut-être souffrira-t-on d'arthrite ou de rhumatisme.

Alors, sans aucune précipitation, il faudra laisser notre esprit vagabonder aussi dans nos articulations et percevoir celles-ci le mieux possible. Peut-être seront-elles raides, ou nous feront-elles mal. C'est par de très petits mouvements, très précautionneux, que nous pourrons lentement les « dérouiller » et les libérer. Ces petits mouvements peuvent rendre aux articulations, et à la colonne vertébrale même, leur vie et leur agilité.

Ce qui entre en ligne de compte ici, ce ne sont pas simplement les os, liés les uns aux autres, ce sont aussi tous les espaces d'évolution mobile de notre corps. Notre énergie peut s'y couler ou s'y trouver bloquée. Ces petits mouvements, saturés de perceptions sensorielles, n'auront pas seulement un effet de guérison des maladies de notre corps. Nous toucherons par-là aussi à la paix et à la plénitude de notre être, qui ne se refermera plus au monde.

Si nous arrivons à synchroniser conscience et mouvement, il est possible que nous éprouvions très rapidement des sensations de bonheur parfait. Elles s'établiront, de façon très caractéristique, à partir des pieds, et non pas en provenance de la tête. Même le sol, bien ferme, deviendra tout-à-fait présent sous nos pieds. « Le Qi-Jing se met en mouvement », dit-on de ce phénomène. Il est bon à ce moment-là de laisser faire les choses.

Dès que notre vigilance se transforme en retenue volontaire, ou en manipulation-contrôle, c'est la source même de notre ouverture qui se perd.

Nous avons encore à explorer plus avant ces manifestations particulières et le système des correspondances. Notre réceptivité croissante à la perception sensible va ici nous guider.

Ce qui se passe pendant l'exercice — Effets internes et externes

L'ensemble des mouvements du « Vol de la Grue » a pour but d'aider à mettre en mouvement le Yin et le Yang dans tout le corps. Grâce à ces mouvements nous acquérons une connaissance nouvelle de l'espace dans lequel nous vivons en tant qu'êtres humains.

Il ne s'agit pas de la connaissance par le regard ou par la réflexion du cerveau. Grâce au jeu du relâchement et de la tension successive, nous percevons les différentes orientations extérieures, et à partir de là, les différentes qualités de l'énergie qui nous environne.

C'est ainsi que les éléments, qui sont chacun soumis à l'influence directionnelle des orientations, ont des caractéristiques énergétiques propres. Cela se manifeste notamment dans leur qualité brute, en tant que Bois, Feu, Métal, Eau et Terre. Mais de façon plus fine, on peut en percevoir les vibrations.

Chaque méridien se trouve également dans un système vibratoire qui lui est propre, et qui correspond à la qualité vibratoire (énergétique) d'un élément. C'est de cette façon qu'il faut comprendre les analogies qui peuvent être établies, comme par exemple celles entre le feu, le cœur, le sud et la joie...

Les exercices du « Vol de la Grue » favorisent et agissent sur toutes les vibrations énergétiques, dans la mesure où ils lèvent ce qui peut y faire obstacle, et où ils les harmonisent.

On comprendra mieux maintenant pourquoi l'on fait une utilisation de ces mouvements dans le cas de tant de maladies différentes.

Peu à peu, une relation va pouvoir se développer entre les vibrations internes de l'organisme et les vibrations externes de l'univers. La correspondance interne-externe deviendra évidente.

On se souviendra cependant que toutes les indications relatives aux divers éléments ne doivent pas être prises au pied de la lettre, ou de façon trop terre à terre en tout cas.

Quelques exemples de mouvement peuvent ici nous aider à préciser ce qui se passe vraiment. A première vue, tout cela peut sembler plutôt bizarre. Le principe de réaction générale va cependant devenir clair justement, au fur et à mesure de l'observation des mouvements dans la pratique.

Pour ceux qui n'auraient pas encore fait ces exercices de façon autonome, la lecture attentive et précise de ce qui suit devrait leur rendre tout ceci parfaitement compréhensible.

Dans le 1er enchaînement du Qi Gong, on salue les six orientations. Ce salut se passe dans un va-et-vient, un flux et un reflux.

On lève les ailes, et c'est de l'énergie que l'on envoie hors de soi, puis que l'on capte de nouveau.

Nous nous ouvrons vers l'avant, vers le Sud estival, vers l'activité, la certitude, la marche en avant, la croissance (le Feu).

L'ouverture des ailes de côté, vers la gauche et vers la droite, nous donne l'ampleur, l'envergure — à l'Est, c'est le printemps bourgeonnant (le Bois) ; à l'Ouest, c'est la récolte de l'automne (le Métal).

Vers l'arrière, c'est le Nord : les doigts se tendent, sortent de leur état de relâchement. Ici le calme de l'hiver nous fortifie (c'est l'Eau).

En levant les mains au-dessus de notre tête, nous rejoignons dans un même rythme la détermination du ciel, et en nous baissant nous nous ouvrons à la terre. Nous laissons aller, nous abandonnons toute tension, toute retenue. Puis nous captons, nous absorbons le Qi, en particulier par les pieds.

Ici la terre, le sol sous nos pieds, est à la fois le centre, qui nous nourrit et nous porte, nous laisse-aller et nous rappelle. Les Sages taoïstes subordonnaient beaucoup de choses à la terre, y compris l'état de méditation et les Transformations.

Par le jeu multidirectionnel du don de soi et de la réception en soi de l'énergie, on peut entrer en relation avec toutes les grandes orientations cosmiques, de l'intérieur.

Cette relation est également très sensible mais d'une autre façon, dans la collecte de l'énergie. De l'extérieur, le Qi est accumulé entre nos mains et déversé comme un fluide à l'intérieur de nous-mêmes. Le Qi interne s'unit au Qi externe. Le mouvement intérieur du Qi qui s'écoule en nous est suivi grâce au mouvement extérieur du bras. Ce mouvement concomitant, interne (Yin) et externe (Yang), se termine par la collecte du Qi dans le Dantian inférieur.

On peut insister ici — et c'est valable généralement — sur le fait que tout mouvement extérieur visible correspond à un mouvement intérieur du Qi.

Cela se passe bien sûr de la même façon dans notre vie quotidienne. La seule différence, c'est que des blocages chroniques, ou des accumulations néfastes de Qi, sont répétés de façon inconsciente — mentalement et physiquement, intérieurement et extérieurement.

Ces correspondances entre l'interne et l'externe sont le lieu où il nous faut essayer d'agir si nous voulons stopper tout processus interne nuisible.

Quand nous exécutons lentement nos mouvements, et que nous percevons intérieurement le mouvement externe, la qualité du mouvement ne reste pas en dehors de nous : nous enregistrons l'in-formation donnée par le mouvement.

Dans le deuxième enchaînement, au cours de l'exercice, il est possible de sentir une sorte de « courant alternatif » entre le côté gauche (en chinois Yang) et le côté droit (Yin) du corps.

Que notre culture associe la féminité et la masculinité de préférence en intervertissant ces côtés par rapport à la culture chinoise, cela n'a aucune espèce d'importance. Ce qui est essentiel par contre, c'est l'échange qui peut s'établir entre les espaces côté gauche et côté droit, de façon interne.

Beaucoup de gens ont la sensation qu'une frontière invisible existerait entre ces deux espaces de leur corps. En quelque sorte, ils ont l'impression que la gauche et la droite ne fonctionnent pas ensemble, pas de la même façon. Chez les droitiers, la droite agit, écrit, « articule », elle est rapide, habile ; tandis que la gauche, a priori, détecte des impressions fugaces, perçoit intuitivement, et nous donne une certaine sensibilité aux choses, en demi-teinte et en profondeur. Si on ne laisse pas la gauche se développer librement, elle sera malhabile, « gauche » justement !

Quand on lève les mains et que les deux paumes se regardent l'une l'autre, l'énergie s'écoule entre elles, de l'une à l'autre. L'espace entre les mains devient un espace vivant, il vibre, il se densifie. Généralement, cela est d'abord ressenti en dehors de soi, au moment où on lève la boule d'énergie. Pourtant ce flux d'énergie continue dans les espaces internes de notre corps. L'énergie, et avec elle l'in-formation, commence à se mouvoir entre les deux côtés, le droit et le gauche.

Ainsi nous devient-il possible de sentir à l'intérieur de nous-mêmes, dans le buste et dans la zone des épaules, les échanges bi-directionnels qui vont d'une main à l'autre, avec le mouvement de va-et-vient, la vibration cadencée de nos bras qui se lèvent et s'abaissent comme des ailes, et la sensation de chaud et de froid. C'est le signe que nos deux côtés sont maintenant en relation de plus en plus forte, et s'installent dans un système d'échanges.

Même la poussée du ciel et de la terre, vers le haut avec la main gauche, et vers le bas avec la main droite, — puis en sens inverse, avec le changement de main — est un élément générateur d'alternance. Si nous arrivons à visualiser véritablement la dimension de la « colonne du ciel et de la terre », nous pourrons également saisir une dimension nouvelle : la hauteur et la profondeur.

Nous sentons bien les limites des paumes de nos mains, et pourtant l'énergie déborde, vers le haut et vers le bas. Nous prenons la mesure d'une dimension nouvelle, et nous sentons la tension de cette forme. Si nous nous approprions cette dimension, si nous nous fondons en elle, nous permettons, de façon consciente, au Qi de revenir s'écouler en nous. Il est alors évident, que la hauteur ne se situe pas quelque part vers le haut, et la profondeur quelque part en bas. Bien mieux, nous sommes désormais en relation directe de tout notre être avec ces deux dimensions.

Beaucoup de gens vivent également avec une impression de coupure entre le haut et le bas de leur corps. L'une de ces deux parties sera plus mobile, plus vivante que l'autre, quelle qu'en soit la raison exacte. L'énergie ne circule que de façon très médiocre au-dessous ou au-dessus de la ceinture. Des lésions de la colonne vertébrale peuvent alors se produire dans cette zone.

Dans chacune des 5 formes d'enchaînement, on peut relever des éléments, qui permettent de fluidifier ces blocages. Les énumérer tous ici serait trop long. Mais avec l'entraînement Qi Gong, chacun pourra augmenter sa sensibilité et mieux percevoir comment il va, il pourra ressentir les effets de ces exercices de façon de plus en plus précise.

C'est dans la quatrième forme d'enchaînement que l'on développe le mieux la dynamique entre la verticalité et l'oscillation souple des ailes de la grue. L'énergie monte et descend à la fois ; et la gauche et la droite, le haut et le bas, la tête, les pieds et les mains, vont de mieux en mieux tisser des liens entre-eux à travers le tronc. C'est ici le cercle cosmique de la cinquième forme d'exercices qui est annoncé.

En extrapolant, on pourrait dire qu'avec la description des cercles du cinquième exercice, c'est l'espace qui s'élargit jusqu'à l'infini, et dans toutes les directions, même à l'intérieur de la terre.

Pour les débutants ou les personnes très malades, l'émission d'énergie au cours de l'ensemble des six mouvements circulaires peut être trop éprouvante. Je propose donc qu'ils exécutent ces cercles d'abord « à sec », c'est-à-dire jusqu'à ce que l'émission et le captage d'énergie soient vécus comme un principe de flux et de reflux, au cours des autres mouvements. En fin de compte, de l'énergie est envoyée dans l'espace infini, et à nouveau reprise à cet infini.

Le mouvement circulaire du dernier enchaînement nous permet de concrétiser dans notre corps, ce que nous vivons de façon consciente ou inconsciente. Nous sommes notre propre Univers — si nous faisons les exercices à plusieurs dans une même pièce, ce seront plusieurs Univers qui se côtoieront, plusieurs mondes. — Nous sommes chacun et chacune dans cette pièce, et nous nous projetons au-delà.

Chaque pratiquant(e) exhale son énergie et en récupère de la fraîche. Dans notre vie quotidienne cela ce fait sous la forme d'images, d'idées, de pensées, d'avis, de concepts et d'actions. Tout ceci représente une somme d'énergie aux vibrations innombrables, que nous exhalons et que nous récupérons, même si une part de l'énergie de retour nous semble parfois tout-à-fait étrangère.

Peut-être avons-nous déjà remarqué quelle sorte d'énergie nous émettions et laquelle nous attirions. Il est important d'essayer d'explorer ces relations et ces correspondances avec patience.

Il faut se représenter les émotions exactement comme l'on se représente les méridiens, les éléments, et les différentes orientations, c'est-à-dire comme des vibrations énergétiques, qui correspondent entre elles.

Les différentes orientations et les éléments ne sont pas des entités fixes qui se trouvent n'importe où en dehors de nous. De même les méridiens et les émotions ne constituent pas des entités internes, figées. Peut-être en considérant tout cela, pourrons-nous comprendre que toute l'histoire de notre vie se manifeste à travers différentes énergies.

Zhào Jin Xiang a bien pris conscience de cela lors de sa guérison. Il s'est aperçu qu'il n'était besoin pour chacun que de guérir son esprit. Cela n'a d'ailleurs rien d'extraordinaire ni d'abstrait. Il a commencé par faire une observation attentive de son corps. Il a noté comment il fonctionnait, au repos ou en mouvement, et ce qui l'empêchait apparemment de fonctionner correctement.

Si nous enchaînons les gestes des cinq formes d'exercices de Qi Gong, l'esprit ouvert et vigilant, nous ferons une expérience paradoxale.

D'une part, nous percevrons de façon plus précise encore notre corps, nos bras, la plante de nos pieds, et la respiration de nos cellules.

D'autre part, plus nous arriverons, de façon interne, à « être » véritablement notre tête, nos bras, notre buste, et nos jambes, plus ceux-ci seront sensibles et perméables, « pénétrables ».

Nous aurons l'impression et la sensation d'une sorte de flux et de reflux, comme une marée qui battrait en nous. Peu à peu nous remarquerons que nous ne pouvons plus parler de « notre » Qi, de « notre » force. Celle-ci en effet circule à travers nous, elle tourne et agit en nous. Elle ne nous appartient pas. Et nous, nous serons elle — ceci est vrai pour chaque individu, et cela se fait chaque fois de façon unique et incomparable.

On peut dire qu'il y a des limites à ce processus (Yang), et en même temps qu'il n'y en a pas (Yin). Vouloir décider pour l'un ou pour l'autre cas serait un acte purement intellectuel. C'est la même chose pour la terre : elle est puissante, généreuse, nourrissière — et elle est notre centre. Elle est aussi le silence, l'immobilité, la méditation et la mutation — le centre, le Néant.

Approche de la méditation. La forme sans forme.

Nous avons donc commencé notre entraînement bien conscients du temps et de l'espace que nous allions lui consacrer, nous lui avons choisi un lieu approprié, et un environnement approprié.

A partir du moment où nous connaîtrons l'ensemble des mouvements, l'ensemble de la « forme », l'énergie va pouvoir librement pénétrer jusque dans nos cellules. Nous allons découvrir de nouvelles sensations, percevoir en nous l'alternance lâcher-prise/tension, et nous laisser de plus en plus pénétrer par la « respiration universelle ».

Des liaisons nouvelles vont s'établir entre les différentes parties de notre corps, et entre l'espace interne et l'espace externe. Le ciel et la terre, les éléments et les différentes orientations cardinales, le Yin et le Yang, tout ceci n'est plus ressenti comme en dehors de nous, sans lien avec nous, comme objets étrangers, ou abstractions lourdes de traditions étrangères.

Dans l'état d'ouverture vigilante où nous nous trouvons, nous laissons une nouvelle fraîcheur monter en nous, grâce à laquelle il n'est plus question ni de combattre de vieilles habitudes, ni de les modifier, ni de les laisser dans l'ombre et l'oubli. Tout maintenant doit pouvoir être, tel quel, sans embellissement ni manipulation.

Si nous réussissons à nous maintenir dans cet état sans nous endormir, un espace va enfin pouvoir s'ouvrir à notre regard. Si nous sommes attentifs : ce sera la Transformation, la mutation.

D'où vient cette Transformation ? On ne sait ! Mais c'est justement pour cela même qu'elle peut se produire. Nous allons maintenant essayer de trouver comment ce non-faire (Yin) peut se muer en faire (Yang).

Nous en trouvons un signe avant-coureur dans le sourire intérieur. Si le menton se relâche, et que la langue effleure le palais, nous attendrons que la pulsion du sourire nous vienne de l'intérieur. Il ne s'agit donc pas du tout d'un sourire plaqué, conventionnel, du fameux « keep smiling ». Notre sourire sera même à peine visible. S'il se développe de l'intérieur vers l'extérieur, ce sera le front qui va s'ouvrir, jusqu'à la racine des cheveux. Même les yeux se détendent, le cou s'épanouit. Si notre sourire gagne en profondeur, il atteindra la base de notre crâne, là où la tête communique avec la colonne vertébrale.

Tout se passe maintenant comme si nous avions la faculté d'entendre non seulement avec nos oreilles, mais aussi par l'arrière, par l'avant et sur les côtés. L'espace situé derrière nous s'anime donc. Tout l'art consistera à laisser affleurer notre sourire. Il nous faut attendre avec patience, et c'est tout. Si nous sommes suffisamment réceptifs et calmes, tout l'espace englobé par notre sourire va s'épanouir et comme ruisseler jusqu'à notre cœur. Ce flux peut même nous inonder jusqu'au bas du ventre, jusqu'aux pieds, ou bien se répandre le long de notre dos.

Si nous sommes bien préparés à « lâcher-prise », tout peut aussi se mobiliser en une seule et même relation. Avec le temps cela se sent de plus en plus facilement. Nos yeux ne fixent rien de précis à ce moment-là, ils reposent...

Si nous faisons quelque effort pour penser à quoi que ce soit, notre regard va se fixer sur quelque objet et trahir l'activité de notre conscience. Mais si notre regard se perd dans le vague et dans le lointain, ce seront aussi nos pensées qui se transformeront. Elles deviendront plus souples, ne se figeront plus.

Peut-être le fait d'essayer de nous reconnecter sans cesse avec ce vaste espace, nouveau pour nous, nous sera-t-il une aide appréciable dans notre vie de tous les jours. Ceci non pas dans le but de nous abrutir, ni de fuir la réalité et nos problèmes. Ce serait plutôt comme un « arrêt sur image » : cela nous aidera à mieux percevoir et à mieux vivre les implications réciproques qui peuvent exister entre nos émotions, nos pensées, et les enchaînements qui naissent en nous.

Peut-être même des solutions nouvelles à nos problèmes quotidiens vont-elles se faire jour en nous, auxquelles nous n'avions pas pensé, coincés le plus souvent dans nos habitudes rigides de pensée. Ces solutions émaneront d'elles-mêmes de ce vaste domaine qui s'ouvre à nous.

Ce n'est pas une perte de soi, une hémorragie de la conscience, mais une métamorphose par l'ouverture. Si nous n'avions l'intention que de nous perdre dans le vague ou de nous étourdir, alors la même force de l'habitude redonnerait les mêmes effets dans des situations analogues. Rien ne changerait pour nous. Nous nous retrouverions de nouveau dominés, sous contrainte. Nous retomberions dans nos travers habituels, et peut-être aurions-nous de nouveau recours à quelque tranquillisant...

Perte de soi et raidissement en sur-tension alternent l'un l'autre. Il n'est pas rare en effet que l'on confonde état d'exitation avec faculté d'action et de réaction. Le bon fonctionnement ne défend pas d'un tel excès.

Dans l'espace élargi que nous découvrons, c'est de vigilance, d'attention, dont nous avons besoin, sans manipulation ni jugement de valeur. Une simple pause au bureau, à notre travail, peut suffire à donner champ libre à cet espace nouveau. Nous pouvons nous asseoir, ou nous tenir debout, toujours de la même façon, et nous exercer à capter l'énergie : cela peut suffire en soi.

(Même de tous petits enfants peuvent apprendre à respecter un temps de silence et d'immobilité, si on arrive à rendre le temps qui passe perceptible à leurs yeux : soit par exemple à l'aide de sables multicolores qui ruissellent dans une horloge à l'ancienne mode, soit grâce à la lente combustion d'une mèche enflammée... Les enfants se retrouvent parfaitement dans ce genre de situations, ils se repèrent alors facilement dans le temps. C'est la mère de trois petits enfants qui a imaginé cela : Tout au long de la journée, elle répartissait les exercices et les enfants pouvaient très bien faire les cinq formes d'enchaînements actifs de Qi Gong, à leur rythme).

Dans les exercices préparatoires à l'entraînement, un tel état d'esprit peut nous aider à entrer rapidement dans l'exercice. Nous cessons alors toute lutte et toute bataille inutiles, et nous devenons réceptifs et ouverts à l'exercice lui-même.

Dans notre vie de tous les jours, cette disposition d'esprit peut nous être d'un bon secours et nous aider à nous épanouir dans bien des cas. Nous saurons désormais reconnaître nos pré-jugés et nos a-priori.

Pour moi cette attitude signifie que nous ne craignons plus de remettre sans cesse en question tout ce qui doit l'être ; que nous sommes attentifs à l'usure et à la corrosion qui encombre le chemin sur lequel nous allons ; que désormais nous savons combien chaque parcelle d'attention peut aider à libérer cet espace nouveau en nous, notre espace en plein cœur.

C'est un domaine dont nous ne pouvons pas évaluer la dimension par avance.

A cela je voudrais ajouter que nous devons arrêter de dire il « faut » : en effet, il ne « faut » pas nous détendre. Si nous disons par exemple : « je dois maintenant me décontracter », « il faut que je me concentre », nous disons-là quelque chose qui va nous rendre plus rigides encore.

Une telle affirmation est en effet en soi une crispation, bien que paradoxalement les mots expriment la décontraction.

Les mots, les concepts, les images, sont en effet porteurs d'énergie eux-mêmes. Tout notre corps, notre esprit et notre cœur vont réagir directement à un ordre donné, qui concerne le vouloir, le devoir, le pouvoir. Ils vont en être rigidifiés, rétrécis, rapetissés, et non pas grandis. Le contenu de la phrase, l'intention, elle, ne passera pas. Ceci vaut pour les mouvements, mais aussi pour tout essai de méditation dans le silence et l'immobilité.

Nous pouvons en effet nous exercer des années durant et suer sang et eau, sans que nous n'apercevions — ou si peu — la moindre évolution en nous, et ceci en dépit de la discipline que nous nous imposons — ou bien même à cause d'elle. Tout simplement nous n'avons pas l'ouverture suffisante en nous, celle qui permet le « lâcher-prise ».

Notre vigilance va dégénérer, et se cristalliser sur notre seule volonté, un ordre obtus et froid. Les forces du Yin et du Yang vont se disjoindre, devenir antagonistes.

Pour nous permettre d'amorcer le processus des Transformations, cette alchimie à différents niveaux, celui du corps, de l'âme et de l'esprit, il existe une clé à notre portée : l'exécution du mouvement au ralenti.

Depuis le début, c'est ainsi que nous devons pratiquer les exercices. C'est en effet la grande lenteur, la décomposition extrême, qui sous-tend les mouvements, qui va permettre l'alternance tension/lâcher-prise.

Le temps va s'étirer comme à travers une loupe. On dira qu'il nous est désormais offert, comme un cadeau, même si par ailleurs notre montre continue de courir exactement à la même allure qu'à l'ordinaire.

Et cet étirement du temps est en liaison étroite avec le relâchement de nos articulations, avec la perception nouvelle que nous avons de l'espace, interne et externe, avec la levée de nos différentes inhibitions.

Plus l'harmonie sera profonde entre esprit, conscience et mouvement, plus le temps deviendra « intemporel ». A certains moments, mouvement et conscience peuvent même être parfaitement synchrones. A ces instants-là le temps tel que nous le connaissons n'existe plus.

Entre l'être et la conscience, aucun espace temporel ne s'intercale plus. En nous surgit un espace inconnu, le grand silence, jusque-là recouvert par toutes nos pensées, nos projets, nos avis sur tout, notre précipitation et nos émotions. En ce nouvel espace, rien de passif, au contraire c'est la paix même. Rien de maussade, au contraire c'est la clarté même, et la liberté !

Qu'importe alors les objectifs que nous nous sommes fixés — et que nous allons ou non atteindre ? Nous sommes à présent dans un espace de silence et de création. La « forme » bouge : nous la faisons bouger.

A ce point de l'exercice, il se peut que disparaisse toute contradiction apparente entre activité et immobilité, santé et maladie, spontanéité et connaissance, intériorité et extériorité.

Plus grande sera l'harmonie entre mouvement et conscience, plus importante sera l'énergie libérée. De notre exercice même émanera l'énergie : de notre sourire, de chacun de nos mouvements, de la position dans laquelle nous nous tiendrons, assis ou debout.

Si nous restons vigilants et ouverts, parfaitement détachés par rapport à notre environnement immédiat, nous aurons l'impression que l'énergie et la joie s'engendrent d'elles-mêmes. Nous n'avons à ce moment-là plus aucun compte à rendre à personne, nous ne cherchons plus ni encouragement ni récompense, ni attache amoureuse auprès de quiconque. Notre aventure est autonome, indépendante.

C'est ainsi que nous pouvons prendre un nouveau départ. Nous découvrons une piste nouvelle, et nous allons chercher encore à la suivre en dehors de nos heures d'entraînement. Mais il est aussi possible que nous la perdions ! Alors le monde redeviendrait pour nous opaque et mesquin ...

Mais de la même façon que nous faisons ouvrir et se délier nos articulations par la simple perception interne, au cours de l'exercice, et que nous créons ainsi un espace nouveau, nous pouvons reproduire tout cela dans n'importe laquelle des situations que nous rencontrons au quotidien.

Si nous nous arrêtons un instant, et essayons de rester parfaitement silencieux, nous prendrons vite conscience de la façon dont nos souvenirs, nos pensées, nos émotions, nos paroles — et leurs propres contraires — s'agencent, apparemment d'eux-mêmes, et s'embrouillent, jusqu'à se mêler en une sorte de grand écheveau.

L'énergie s'arrête, elle se fige. Notre air s'alourdit. Notre corps même, réplique physique de tout ce qui se passe en nous, n'est pas épargné. Le blocage se passe à l'intérieur comme à l'extérieur, peut-être même entre nous et un ami.

S'il nous arrive encore de nous reprocher d'être une fois de plus la victime de nous-mêmes, l'écheveau va se resserrer encore plus en nous, comme un nœud inextricable. Souvent il suffirait d'observer une bonne fois l'évolution de ce processus, de bien voir comment il se produit, comment il est possible... Et une telle mise en cause suffirait à elle seule à créer une ouverture, un espace, sans reproche ni condamnation a priori.

Nos positions rigides, et des phénomènes, apparemment immuables, gagneraient alors en souplesse. Nous arriverions alors à nous ouvrir, à mieux nous sentir, et à mieux sentir autrui.

C'est ainsi que nous arriverions à percevoir comment les énergies inter-agissent entre les univers humains, comment elles interfèrent à travers les paroles, les images, les pensées et les émotions de chacun. Si l'espace s'ouvrait en nous, enfin, c'est de l'énergie qui se libèrerait, une sorte de sérénité active se ferait jour.

Dans ce contexte, nous pourrions observer ce que signifie alors la mémoire.

Si, au cours de nos exercices, notre esprit anticipe chaque fois la forme et le mouvement, ou s'il ne fait que la suivre, laborieusement, c'est que nous nous perdons dans notre souvenir. La forme ne vit plus, elle n'est alors qu'une voie toute tracée, banalisée, anonyme.

A ce moment-là l'espace créé en nous est trop étroit, l'énergie ne peut pas circuler, sinon faiblement.

Dans cette affaire, il nous faut saisir la chance formidable qui nous est donnée : celle de ne plus trouver aucun support pour une quelconque auto-critique ! C'est justement le fait de répéter inlassablement ces exercices dans notre « laboratoire », qui va nous amener à constater que nous réalisons peut-être tout ceci dans des contextes bien différents, tous les jours.

Peut-être nous arrive-t-il de nous approcher de quelqu'un que nous avions bien connu autrefois, et de l'aborder sans même remarquer qu'il peut avoir évolué, sans en tenir compte le moins du monde. Nous lui adressons la parole, et nous avons le sentiment de « passer à côté », sans savoir exactement pourquoi. La communication est brouillée.

Le remarquer est déjà une bonne chose.

Dans notre entraînement, il nous est possible si nécessaire, de revenir en toute conscience à la forme fondamentale des mouvements. C'est très important, si la forme semble s'être comme figée dans notre mémoire, ou si une préoccupation nous en a écarté momentanément. Si nous procédons ainsi, l'énergie va recommencer à se répandre en nous, jusque dans nos moindres cellules.

S'il nous arrive de souffrir d'une soudaine fatigue, si nous n'avons plus aucune joie, si nous ressentons tout simplement un sentiment d'oppression ou de lourdeur, si nous sommes tendus ou agressifs, ou tout bonnement résignés et sans ressort, alors ne passons pas là-dessus, n'éludons pas ! Ne nous ignorons pas, quel que soit le lieu où nous sommes et ce que nous sommes en train de faire !

L'état dans lequel nous nous trouvons peut être pour nous un bon indicateur sur le fait que nous ne sommes plus tout-à-fait à ce que nous faisons, que nous bloquons, que nous sommes « en panne ».

Cela appelle une prise de conscience et une prise de position claires de notre part, que nous le voulions ou non.

De même dans une rencontre avec autrui, une information tout-à-fait similaire peut nous être transmise par la simple perception de notre ouverture ou de notre fermeture à l'autre. Peut-être nous sommes-nous laissé entraîner à une impression qui repose soit sur le souvenir que nous avions de l'autre, soit sur un préjugé, soit sur un conflit passé. Et nous nous crispons sur notre envie de préserver une certaine de relation avec l'autre.

Si nous arrivons à entrer en communion intime avec ce qu'est véritablement notre insatisfaction, notre mécontentement, alors ceux-ci se dissiperont d'eux-mêmes. Ils se videront de leur substance. L'énergie se libèrera, mentalement comme physiquement. Ce qui s'était enkysté en nous, va se libérer et donner de l'espace à ce qui souhaite vivre en nous désormais. La rencontre avec l'autre y gagnera en fraîcheur, et en intemporalité. Nous serons alors « dans la force » !

Zhào Jin Xiang parle des sept émotions (voir chap. 5 : le Yin, le Yang et les cinq éléments) qui peuvent, si nous nous y arrêtons, faire blocage au Qi et le faire stagner dans notre corps.

Dans le Qi Gong du « Vol de la Grue », il a développé un exercice qui remet le Qi en mouvement et l'harmonise. Dans les formes actives du « Vol de la Grue », c'est l'impulsion consciente du mouvement, donnée par notre esprit en éveil, qui réactive le flux. Nous avons également appris, que ce flux ne se libère que si nous nous détendons, si nous lâchons prise, si nous laissons aller la force en nous.

Cela semble paradoxal : la force se met en mouvement, et nous la mettons en mouvement ! J'oserais même dire que nous la contrôlons.

Discipline sans contrainte, fermeté sans tension, voilà ce que cela suppose. Si nous comprenons la force avec notre cœur, nous n'avons besoin de la « contrôler » ni lors de nos exercices, ni dans notre vie quotidienne.

Affirmer que j'ai moi-même pu et su y arriver, serait un peu présompteux, même si le cœur sait bien, lui, qu'il peut en être ainsi : il y travaille en tout cas.

Dans la « forme sans forme », le mouvement est initié par le Qi, par la force. Dans la deuxième partie de cet ouvrage nous l'avons déjà exposé en détail, et j'aimerais simplement me limiter ici à ce qui n'a pas encore été dit.

Au cours de notre préparation, notre esprit a trouvé la voie intérieure qui doit être la sienne, et le Qi s'écoule. L'image que nous avons du pendule qui se balance entre nos jambes, constitue en soi une impulsion essentielle pour que le Qi se mette en mouvement de lui-même.

Ce qui nous aide aussi, c'est le fait de nous laisser aller. Notre attention seule, notre « éveil en ouverture », est la force qui maintenant sous-tend l'espace dans lequel nous nous mouvons.

Il s'agit d'une « forme sans forme ». Elle est en effet sans forme dans la mesure où ce n'est plus notre conscience qui envoie à notre corps, de l'intérieur, une impulsion pour un mouvement donné. Notre esprit, nous l'avons soigneusement laissé aller dans le Dantian inférieur, dès que le Qi a commencé à circuler de lui-même.

Comme dans les exercices actifs, nous ne nous laissons distraire ni en pensée ni en émotion. Cet état d'ouverture vigilante est une forme d'une autre qualité, qui va laisser de l'espace pour le processus profond d'auto-guérison.

Nous apprenons donc ainsi à créer les conditions pour une nouvelle attitude ; à ouvrir l'espace, à agir (Yang) afin que tout se passe de soi-même (Yin). Nous ne « faisons » rien. Il n'est d'ailleurs pas en notre pouvoir de « faire » une guérison, ni de « faire » une Transformation.

Les exercices actifs eux-aussi ont constitué une sorte de préparation à cette « non-forme », à ce « non-faire ». Grâce aux exercices actifs, notre corps est en effet devenu plus réceptif, et ainsi la guérison pourra s'accomplir d'elle-même.

Zhào Jin Xiang le sait bien qui dit que « la sagesse du cosmos peut se refléter dans notre corps ».

Ce mystère de l'inter-action apparemment paradoxale du Yin, force du néant, et du Yang, force créatrice, ne peut pas être compris par notre seul intellect.

Mais bien qu'il n'en existe pas d'explication satisfaisante pour notre compréhension, ce phénomène ne doit pourtant pas être confondu avec une sorte d'absence de conscience. La conscience est en effet tout à fait éveillée, simplement elle « observe comme si elle n'observait pas ».

Quand le Qi véritable perçoit les blocages, et les « travaille », nous ressentons le mouvement au plus profond de nous (chaleur, étirement, douleur, picotement etc.). Et ce mouvement peut se poursuivre en périphérie. La conscience, par sa vigilance, protège l'espace dans lequel le Qi est actif.

Si par exemple les mouvements de balancement s'amplifient trop, et que nous tombons, la conscience va aider, grâce à son impulsion, à ouvrir Yungquan ou Baihui. Et le travail du Qi pourra alors continuer de façon productive. La conscience reposera de nouveau dans le Dantian inférieur.

Très souvent nous avons pu voir comment le spirituel et le physique s'interpénètrent l'un l'autre. Aussi ne faudra-t-il pas s'étonner que des émotions refoulées, qui sont en soi de l'énergie bloquée, se fassent de nouveau sentir. Elle vont se lancer à la recherche de leur propre expression, dès que nos cellules seront de nouveau irriguées par le Qi.

Des images, des voix, des visions (voir chapitre sur la sixième forme) etc... sont de possibles manifestations de l'énergie. Quelques-uns de ces phénomènes peuvent déjà se produire pendant les exercices actifs du Qi Gong. Car ce sont les échos perceptibles du grand nettoyage et de l'ouverture, qui sont en train de se produire en nous-mêmes.

Pendant notre travail sur les enchaînements, il faudra tâcher de ne pas donner libre cours à certaines pulsions qui pourraient nous entraîner prématurément vers le mouvement libre. Nous essaierons simplement de les percevoir en toute conscience, mais persisterons avec douceur et fermeté dans notre entraînement.

Ces manifestations n'apparaissent pas systématiquement. Chacun s'exerce et se purifie comme il l'entend. Le mouvement induit par le seul Qi pénètre les blocages, qui ne sont pas accessibles aux formes actives de Qi Gong. Cela se répercute sur l'ensemble de l'exercice actif, qui s'en enrichit et s'améliore par la « sagesse » du Qi.

Plus nous serons perméables, « transparents », au flot du Qi, moins le mouvement initié par le Qi sera important. Après un certain temps, il se peut fort bien que cela débouche sur une méditation extatique. Nous sommes là, assis ou debout, l'esprit posé dans le Dantian inférieur, et même la respiration va se transformer d'elle-même (voir chap. 12).

A travers cette lecture, nous avons donc fait une longue promenade. C'est un peu comme une vue panoramique qui aurait maintenant besoin d'être étayée par un vécu et une expérience personnelle. Le chemin qui reste à faire désormais n'est pas sans embûches. Il va y avoir sans cesse des impasses, des détours, et même des interruptions et des chutes. Cela ne doit pas nous décourager.

Il nous faut recommencer sans cesse, tels qu'en nous-mêmes, là où nous en sommes restés. Si nous avons conscience d'une certaine confusion momentanée ou d'un certain découragement, si nous embrassons cet état avec toute notre intelligence et notre compréhension, notre bienveillance et notre vigilance, alors un espace s'ouvrira en nous, dans lequel la force mobile du Qi va de nouveau pouvoir s'écouler, rafraîchissante.

Ce n'est qu'au moment où attitude (en mouvement ou immobile) et conscience se rapprochent, et sont peut-être en accord profond, que peut survenir la méditation véritable.

Zhào Jin Xiang a l'habitude de demander à ses élèves de s'étendre les uns à côté des autres pour méditer, une fois que le mouvement du Qi s'est calmé — s'ils ne l'ont pas fait d'eux-mêmes spontanément. La colonne vertébrale est alors bien droite ; la conscience, l'esprit et le regard reposent entièrement dans le Dantian inférieur, la langue touche le palais, le visage est détendu par le sourire intérieur.

Les débutants s'assoient sur le bord d'un siège, les jambes parallèles et légèrement ouvertes. Le périnée et la région du coccyx sont comme en a-pesanteur, tandis que l'on redresse avec précaution le haut du corps, en partant des fesses. Les paumes des mains reposent sur les genoux. Il ne s'agit pas de sombrer dans un repos lourd, tel le sommeil, mais plutôt de se mettre dans un état de présence relaxée, d'ouverture vigilante.

Le Qi Gong du « Vol de la Grue » est basé sur l'idée qu'il ne faut pas que l'énergie soit grossièrement bloquée au cours de la méditation, car cela empêche le véritable silence de s'installer. On n'en resterait alors qu'à un effort, une recherche volontariste de calme.

C'est là que l'on voit combien on a pu faire d'erreurs à propos de la méditation. On l'a prise trop souvent comme un expédient oriental contre le stress et l'agitation, comme un tranquillisant (commercialisation à l'appui d'ailleurs)... Ce n'est pas non plus un moyen de nous étourdir.

Ce n'est que dans un état de présence détendue, que la méditation va laisser place à une force mobile et créative. La quiétude n'est pas tranquillité obtuse, mais force, et puissance. Il est donc important que le méditant se familiarise d'abord avec ce que produit la circulation de l'énergie en lui.

Il acquiert ainsi une certaine expérience dans l'ensemble de son corps et pas seulement dans sa tête. Même les crampes, qu'une position assise provoque fréquemment, disparaissent alors.

Nous apprenons à connaître nos circuits énergétiques. Nous comprenons ne seraient-ce que les rudiments des inter-actions qui relient les différents plans de notre être : le plan physique, spirituel et mental. Nous comprenons comment ils correspondent entre eux.

Si nous commençons par le corps, nous ne pouvons pas nous tromper.

Dans la méditation, c'est l'assurance qui nous vient du ciel, la vigilance, qui agit en s'alliant à la force de mutation de la terre, à l'ouverture.

En fin de compte, on peut dire que la méditation a davantage qualité de Yin, en quoi la vigilance du Yang nous évite l'hémorragie que pourrait provoquer l'« ouverture », c'est-à-dire une sorte de dissolution de l'être dans une détente sans conscience.

Les enchaînements actifs du « Vol de la Grue » ont plus un caractère Yang. L'attention est mobilisée, et en même temps, l'ouverture du Yin empêche que « la forme » ne dégénère sous le contrôle trop rigide et exagéré de la conscience.

On a souvent constaté que les personnes qui ont déjà une pratique autre de la méditation, apprécient beaucoup l'aide que leur apportent les six exercices du « Vol de la Grue », parce qu'elles peuvent là travailler avec leur corps, leur énergie et leur esprit.

La méditation silencieuse en est plus efficace — en dehors de toute considération d'objectifs:

— que nous fassions les exercices pour recouvrer la santé ;

— que nous ayons envie à travers eux de nous régénérer spirituellement et mentalement ;

— que la méditation soit pour nous une voie vers la Transformation intérieure.

Chapitre 16

LES TRANSFORMATIONS

A quel objet familier serait-il possible de nous référer quand nous nous aventurons dans ces contrées inconnues ?

Nous avons entendu parler de Yin et de Yang, d'une ouverture vigilante de tout l'être, de l'accord entre conscience et attitude, de joie, et comment de l'énergie pourrait jaillir spontanément.

De même, le fait que notre conscience puisse s'élargir et s'apaiser, ou la réalité et les conventions se montrer sous un angle nouveau, ne nous semble plus une idée farfelue.

On a évoqué les trois Dantian, le Jing, le Qi et le Shen. On a évoqué des concepts tels que le Tao, le SENS, et même parlé d'Enseignement, de Sagesse et de Cœur...

Enfin on a vu que la maladie ne serait que l'expression d'une profonde désorganisation, et cela justement parce que le SENS originel aurait été perdu...

Le fait que même un débutant puisse aborder en toute innocence ces paradoxes, et que cela ne soit pas nécessairement réservé aux seuls initiés, a été pour moi une découverte qui a durablement bouleversé ma vie. Certains instructeurs de Qi Gong parlent d'une certaine tournure d'esprit « inspirée », qui serait accessible à tous et ouvrirait la voie...

Ni la lumière ni l'ombre, ni le bien ni le mal, ne sont plus niés, ni refoulés. Ce à quoi il faut renoncer cependant, une fois pour toutes, c'est le jugement de valeur. Ce renoncement ouvre l'individu à une vision toute neuve des choses, et même à une autre façon de vivre.

La création n'est plus un acte posé à un moment donné, mais c'est un acte en continuel renouvellement, une re-création de chaque instant.

Si nous renonçons également à voir les choses sous l'angle de la dualité, nous comprenons que le Yin et le Yang sont les deux qualités complémentaires d'une même intelligence créative. La dualité s'efface alors, dès que l'on peut ressentir soi-même l'énergie comme sagesse de l'être.

Au début, ce sont de nouvelles façons de penser, des sensations intermittentes en communion avec l'Etre, qui nous sont proposées, un peu comme un cadeau. Le sage qui, en son cœur, a toutefois réussi à atteindre l'état d'ouverture vigilante, ne se préoccupe plus de connaître ou non le sens de la vie et de la mort. Il est dans le monde, en toute liberté.

Il est pour nous néanmoins important d'essayer de bien comprendre la signification exacte des mots et des symboles qui sans cesse reviennent, et leurs implications. Il vaut mieux pour cela lire le chapitre 5 et le passage de notre ouvrage intitulé « le Vol de la Grue, mouvement vivant », avant d'aborder le chapitre sur les Transformations.

Le mouvement vivant, exactement comme la méditation d'ailleurs, nous aide à mieux percevoir ce que nous ne faisions que deviner jusque-là. Voilà ce que l'on peut déjà découvrir en abordant les exercices de Qi Gong.

Dans le Taoïsme, il est question de relations d'interdépendance qui existent entre la force originelle qui est Sagesse, et la conscience qui est Connaissance. On dit qu'il y aurait eu de nombreux emprunts au Tantrisme bouddhiste dans cette théorie. Mais ces liens très anciens ne sont plus très clairs aujourd'hui. Par contre il existe des documents qui attestent parfaitement le développement et la pratique du Qi Gong dans des monastères taoïstes et bouddhistes, autrefois et de nos jours encore (voir première partie de l'ouvrage).

Zhào Jin Xiang a lui-même rendu visite à des Maîtres, qui aujourd'hui vivent et exercent, retirés dans des monastères chinois.

Il s'avère que même pour des Chrétiens, le lien qui existe entre conscience et énergie, ne devrait pas être quelque chose d'extravagant. Dans le Nouveau Testament en effet, n'est-il pas écrit que le Christ a pu guérir des malades et même faire revenir à la vie certains morts, en vertu de l'état de grâce, de pouvoirs surnaturels, dont il jouissait ?... Il est aussi rapporté que son corps serait apparu aux apôtres sous la forme d'une lueur, d'une lumière...

De même Krishnamurti, plus près de nous, qui se prétendait détaché de l'emprise de toutes traditions, a décrit son expérience comme l'accès à l'unité originelle entre Energie et Conscience. Cependant il prit la décision de ne pas tenter de guérir des malades, lorsqu'il comprit l'action curative que pouvait avoir la « force », même sur le plan corporel. Et il se contenta d'aider ses contemporains dans leur travail approfondi de prise de conscience...

Il s'agit donc, en fin de compte, de vivre la conscience comme une énergie véritable, et l'énergie véritable comme la conscience. Toutes les images et tous les concepts empruntés au Taoïsme, auxquels nous avons fait référence dans cet ouvrage, sont à prendre comme des suggestions pour une meilleure approche de la vérité, sans plus. Il n'est en effet pas possible de capturer la vérité à l'intérieur d'idéologies toujours limitées.

La vérité est indépendante, quel que soit le nom que notre éducation ou nos tendances personnelles nous poussent à lui donner.

Si nous abordons chaque concept et chaque symbole dans cet état d'esprit, nous courrons beaucoup moins le risque de nous fourvoyer, et nous saurons remplacer nos vieilles façons de penser par de nouvelles, et troquer aussi toutes ces « histoires » avec lesquelles nous nous rendons malades, contre une réelle conscience des choses et la Sagesse.

Il n'est ici pas du tout question d'une connaissance religieuse qui s'imposerait pour ou contre une autre. De la même façon toute attente de sensationnel et de merveilleux ne pourrait que nous empêcher de comprendre ce que nous sommes vraiment, et nous empêcher de rester ouverts et objectifs.

Le secret de notre quête réside dans les moindres détails de notre vie quotidienne. Il nous y faudra rester vigilants, et conscients des interférences relatives qui existent entre notre conscience, nos sentiments, nos pensées, notre comportement et notre énergie.

Nous allons maintenant revenir sur les trois principes Jing, Qi et Shen, puis de nouveau sur les forces originelles du Yin et du Yang.

Nous avons déjà abordé ce que sont les trois Dantians au chapitre sur les méridiens (ill. 23.).

1. C'est au Dantian inférieur que l'on associe le Jing. Dans sa forme « grossière », celui-ci se manifeste comme substance physique, ovule et spermatozoïde, puissance sexuelle. Dans sa forme plus raffinée, il est ce qui confère forme et substance à notre corps. Il est le moule, le projet, l'essence matérielle.

Sur le plan cosmique, il est ce qui confère une forme au Néant indifférencié de l'origine. Nous pouvons l'appeler de façon synthétique le « principe matériel », car il représente la forme la plus dense de l'énergie.

2. C'est au Dantian moyen, ou intermédiaire, que l'on associe le Qi. Bien que nous puissions percevoir ses effets physiquement, il n'est pas par nature compréhensible ou exprimable. Par lui la vie sera insufflée au « morceau d'argile » initial. Et cette vie se manifestera à travers le Qi-Yin et le Qi-Yang. Là aussi l'action davantage physique du Qi dans l'organisme est considérée comme la plus grossière, tandis que son action spirituelle sera considérée comme plus raffinée.

Sur le plan cosmique il s'agira tout simplement de l'interaction des deux forces Yin et Yang. Elles apparaissent comme la genèse du Tout, issues de la force du Néant. Sur tous les plans, on touche là au jeu interactif et alternatif du Yin et du Yang, en tant que rythme de base de la vie et de toutes ses manifestations.

C'est surtout au niveau intermédiaire, celui du Qi, que ces deux forces se manifestent. Nous pouvons définir ce niveau globalement, comme « principe dynamique », car l'équilibre des flux et la régulation dynamique du Yin et du Yang en sont les bases.

3. Le Shen, lui, est associé au Dantian supérieur. Le Shen peut être interprété comme la « conscience » ou l'« esprit ». Cette force est partout la même. On dit que le Yin et le Yang sont élevés, sous la protection du Shen, car ces forces sont déjà orientées vers le qualitatif.

De nombreux livres taoïstes attestent également de la supériorité hiérarchique du Shen sur ces forces. Pour eux l'action du Yin et du Yang serait englobée dans le Shen. Celui-ci se manifestera dans chaque être humain, comme sa conscience individuelle, au plus haut niveau. Mais peut-on encore parler de « niveau » ici ? Il est la conscience originelle.

Dans le Dantian supérieur le Shen va retourner au Néant (Shu) et atteindre la Sagesse. Celle-ci va s'ouvrir à l'Esprit. En résumé nous appellerons le Shen « principe spirituel ».

Il est possible de nous représenter les trois Dantians comme des portes, qui ne sont perceptibles et ne s'ouvrent que s'il y a mouvement circulatoire. D'une part les Dantians s'influencent les uns les autres ; d'autre part on peut les voir comme des répliques les uns des autres, à différents niveaux.

Zhào Jin Xiang explique encore que, au cours d'un travail assidu du Qi Gong, ce ne sont pas seulement les trois Dantians et toutes les voies de l'énergie qui vont s'ouvrir, mais c'est le corps dans son ensemble qui va se rendre réceptif.

La base de ce phénomène, c'est un Jing puissant, qui va se transformer en Qi dans le Dantian inférieur. C'est pour cette raison que l'on propose aux débutants de « poser » leur conscience, et avec elle toute leur force, dans ce « champ d'élixir » qu'est le Dantian.

Il s'agit en premier lieu de cultiver le niveau physique comme un tout, de le renforcer, et de comprendre son corps. Ceci n'est possible que si nous y mettons notre cœur et notre esprit.

Il est donc désormais évident que dès le départ, les trois niveaux sont concernés, et reliés entre eux. Si la force est concentrée dans le Dantian inférieur, cela aura des répercussions sur les autres Dantians. Il est bon d'éprouver à quel point notre corps est précieux pour nous. De cela dépend la beauté intérieure, d'où résulte que nous ne nous sentirons plus aveuglément prisonniers dans notre corps — ni fascinés par lui, ni méprisants pour lui.

Il arrive aussi que l'on appelle les Dantians « foyers » — au sens propre — ou « champs d'élixir », dans lesquels se passe le processus des Transformations. Ce sont les portes grâce à quoi la personnalité centrée sur le moi va pouvoir s'ouvrir.

Dans une phase plus avancée de l'entraînement, le Qi va gagner le Dantian moyen, à la base de la région du cœur. C'est là que le Qi se transforme en Shen. Les principes dynamiques, spirituel et intellectuel, se fondent l'un dans l'autre : c'est là que nous pouvons entrevoir pourquoi dans les enseignements orientaux, il est sans arrêt fait mention de « l'esprit-cœur ».

Dans notre Qi Gong du Vol de la Grue, on accorde une importance toute particulière au Zhonmai, la voie centrale et médiane de l'énergie. C'est elle en effet qui relie les trois Dantians. En cela Zhào Jin Xiang se réfère à de très anciennes sources.

Dans les courants actuels, comme ceux du Tao Yoga par exemple, on ne mentionne même plus ce canal médian.

Hua-Chin Nan, un Maître de méditation taoïste, qui vit encore actuellement, dit que cette voie médiane correspond au canal principal de l'énergie dans le Yoga bouddhiste et hindouiste. Il prétend que lorsque le Du Mai et le Ren Mai, soit le plus petit circuit (taoïste), s'ouvrent, ce sont aussi les deux voies à gauche et à droite du canal médian, dont on parle dans le Yoga, qui vont s'ouvrir. Et à l'inverse, le petit circuit va s'ouvrir à partir du moment où les canaux latéraux seront fluides et libérés.

A la différence de ce qui se passe dans le Hatha Yoga, le Vol de la Grue accorde également une grande importance aux pieds. La position bien ancrée au sol est en effet la base de tout. De cette façon, la pratique des exercices ne peut pas nous faire « décoller » vers le cosmique ; la vie quotidienne est elle aussi branchée sur les pieds.

Ceci n'est pas aussi évident qu'il y peut paraître, car nous coupons souvent l'énergie de ses racines, le sol. Nous la prenons pour l'expression de notre volonté ou de notre raisonnement, et si nous cherchons une « élévation spirituelle », nous risquons à partir de là de nous couper nous-mêmes davantage de notre base, la terre. Il nous est tellement facile de nous duper nous-mêmes en imaginant que la clarté serait associée au haut et l'obscurité au bas !....

L'illustration suivante montre comment les trois Dantian et les trois principes inter-agissent entre eux. Dans le processus des Transformations, cela peut amener à des phénomènes tout-à-fait inhabituels, qui ont été décrits au chapitre sur la sixième forme. Les débutants porteront leur attention sur le Dantian inférieur, là où le Jing se transforme en Qi.

ZHONGMAI

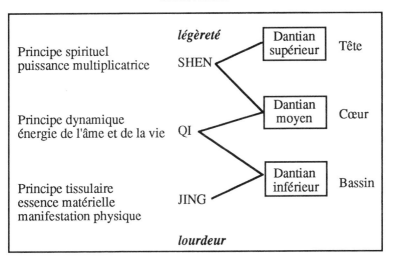

Quand Shu « apparaît », tout le reste se transforme en même temps. Les formes existent (Yang) et en même temps elles ne sont pas (Yin). Le Néant, la Sagesse, sont considérés comme une source mystérieuse. Ce n'est pas seulement le vide, au sens courant du terme, mais l'énergie véritable. Jing, Qi et Shen en proviennent de façon continue, et y retournent de même.

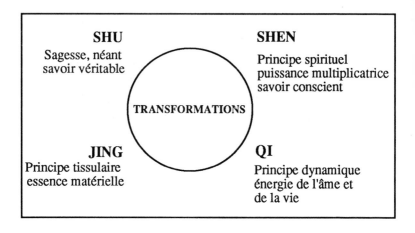

Même si le Yin et le Yang émanent tout particulièrement du domaine du Qi, il n'empêche que ces deux qualités ont une action à tous les niveaux. On l'a vu : leur interaction est à la source de toute manifestation. Nous avons d'ailleurs vu dans le chapitre précédent, combien cette synergie peut être perceptible sur un plan tout-à-fait élémentaire, comme dans la respiration pulmonaire et même dans la respiration cellulaire.

On l'aperçoit alternativement en tant que « lâcher-prise » et tension, immobilité et mouvement ; et simultanément en tant que tension fondamentale libérée et silence, immobilité dans le mouvement. Au niveau de la conscience cette synergie se manifeste comme ouverture et vigilance.

L'harmonie du Yin et du Yang ne veut pas dire leur fusion. Leur action complémentaire en plein accord passe par une certaine dualité et un contraste ; par l'être, force originelle du Néant, et la conscience, force de la Connaissance. Ce que l'on entend par là, c'est l'action unique de deux qualités en un seul état.

Peut-être peut-on encore apporter quelque éclaircissement à propos de ce fameux « état de l'être »vers lequel il faut tendre, à la faveur d'une l'histoire, celle de Hakuin Zenshi, rapportée par le Comte Dürckheim.

Hakuin Zenshi était un maître Zen, célèbre dans le Japon ancien. Au cours de sa jeunesse il s'était astreint à une longue et sévère discipline, à une recherche personnelle, et il avait atteint à la connaissance suprême de ce qu'est l'essence même de la vie et de la mort. Cependant dans chacune des actions de sa vie quotidienne, il se sentait mal à l'aise, et non libre. Le silence et le mouvement n'étaient pas encore en harmonie chez lui.

Encore une fois il tenta un ultime effort sur lui-même : il jeûna, ne dormit pratiquement pas. Il tint son corps bien droit, entra en méditation... Et bientôt il tomba malade !

Ses organes refusaient de faire leur office. Il était pris de peur, avait des visions, entendait des voix et avait des sueurs froides...

Il ne s'était pas du tout préparé à de telles manifestations, et, au désespoir, il courut chercher de l'aide auprès de certains maîtres, auprès d'instructeurs et de médecins, par tout le pays. Un jour enfin, il tomba sur un ermite, qui réussit à lui venir en aide.

Cet ermite lui expliqua qu'il avait trop laissé monter en lui (Yang) le feu de la connaissance, et qu'il avait trop laissé sombrer au contraire l'eau froide du Yin. Il lui dit que ses pieds étaient vides, et son corps et son esprit brûlants. Il lui dit que le Yin et le Yang ne s'interpénètrent pas, que la partie supérieure du corps est Yang, et la partie inférieure Yin. Si ces deux parties essaient de se dissocier, cela signifie la mort.

Il lui dit qu'il avait accordé trop d'attention à sa tête, à son esprit, au lieu de « regarder comme s'il ne regardait pas ». Il lui dit que la seule chose qui pouvait encore le sauver, c'était de laisser monter en lui « l'eau rafraîchissante », et de reporter « le feu » dans le bas de son corps et jusque dans la plante de ces pieds. Il devait chaque jour « questionner ses pieds, ses jambes et ses hanches » pour savoir ce qu'ils pouvaient bien avoir à lui transmettre.

C'est ainsi que pourraient s'interpénétrer le Yin et le Yang. Les énergies feraient des échanges entre elles. Le bas du corps, Yin, serait de nouveau plein et chaud ; le haut, Yang, se délesterait et refroidirait.

Hakuin Zenshi eut ainsi la vie sauve, et il gagna encore en connaissance et en profonde sagesse des choses ...

Dans le livre du Yi King, le signe ☷ signifie la paix, l'écoulement sans heurt. Et le signe ☰ signifie stagnation, immobilité. Il apparaît clairement que l'on a opéré là un renversement symbolique, une conversion tout à fait physique, et par voie de conséquence intellectuelle. Il devient évident que certains jugements de valeur, et certaines mises en équation, ne correspondent plus à rien.

On a trop souvent associé le bien, le haut, le conscient et l'esprit, d'une part ; le mal, le bas, l'inconscient et la matière d'autre part. Si nous usons de ces associations, nous restons au niveau des antagonismes et des blocages, et nous ne serons jamais libérés.

Notre esprit s'envolera peut-être très haut. Mais l'interversion, la conversion, ne veut pas dire que nous évaluions les choses simplement à l'inverse de ce que nous faisions auparavant. Si dans le symbole de paix, c'est ☷ Yin qui apparaît au-dessus, ☰ et Yang au-dessous, cela renvoie d'abord à la vanité de tout jugement de valeur justement.

Celui-ci porte en effet en soi la partition du monde : je suis ici, et tout le reste, là, dehors, que je ressens comme menace et agression, est synonyme de mal et d'obscurité. Cela me fait peur. Tout ce que je ne connais pas, tout ce qui m'est étranger, constitue pour moi une menace et par conséquent cela est mauvais. Le plus effroyable entre tout étant encore la mort, car elle m'anéantit. Je ne veux pas la regarder en face, je la combats ou je la fuis...

L'espace dans lequel j'existe, se rétrécit dans ce cas-là et le temps s'accélère. Tout ce qui m'est dû, tout ce qui me fait vivre, tout ce qui me fait avancer m'est agréable. Tout ce qui me confirme dans mon existence, est bien, aimable et clair. Mais même si je suis encore sur le versant ensoleillé de la vie, si j'ai tout ce que je désire, je ne me sens pas dans un réel état de liberté.

Nous nous jugeons nous-mêmes, nous nous évaluons. Nous nous décomposons nous-mêmes en bon et mauvais, en clair et obscur, en dessus et dessous ; nous nous brisons, entre implosion et dispersion totale de nous-mêmes.

Nous sommes parvenus maintenant au point d'origine, à « la faute originelle ». La clé s'en trouve dans notre identification inconsciente : s'identifier à l'inconscient au lieu d'être identifiés au conscient.

Peut-être pourrions-nous reprendre l'image de l'augmentation et de la diminution du Yin $\equiv\ \equiv$ et du Yang $\overline{\overline{}}$ (voir chap.5), et examiner cette question de façon claire. La roue des huit hexagrammes peut être en effet interprétée de façon ambivalente. Peut-être pourrions-nous essayer de l'expliquer en quelques mots. Bien sûr il est un peu osé d'essayer de développer ce thème en quelques pages, et pourtant une simple évocation peut aider et mettre sur la voie.

D'une part les huit hexagrammes sont considérés comme les symboles du devenir et de la précarité de la condition humaine « normale », comme la boucle existentielle de son évolution : la vie éclot, s'affirme et passe...

D'autre part les Anciens ont aussi décrit ces hexagrammes comme la « voie de la conversion ». C'est le cas en particulier, si l'on considère que la vie est la manifestation de la force du Néant, de la Sagesse.

L'évolution de la vie apparaît alors sous un tout autre jour. Elle ne se perd pas dans un Nirvana nihiliste, mais au contraire elle s'éclaire de tout son « sens véritable », comme disaient les Anciens.

Le périple humain ne se répète pas indéfiniment de façon aveugle. On retrouve d'ailleurs cette idée dans le Bouddhisme. La conversion, dans l'évolution normale des choses, correspond à la révolution de la roue du Dharma.

Nous commençons par une vision au premier degré. L'être humain vient au monde, il vit et meurt. L'enfant naît de la force du Néant, qui se manifeste dans le Jing, dans le Qi et dans le Shen. Au commencement, ces trois trésors ne forment qu'un. L'état initial est donc un état d'ouverture, qui englobe tout. C'est de l'énergie pure.

Dans l'enseignement du Taoïsme, il est dit : « l'énergie unique est substance, ceci est le néant véritable, l'énergie véritable ».

Puis cette énergie du Néant va se différencier. Sur le plan humain, la grossesse et la naissance en sont la première manifestation. Le Jing donne la substance, le Qi insuffle la vie, et le Shen se densifie lentement jusqu'à former la conscience. La conscience perçoit son environnement, à travers le corps et les sens.

(Nous n'évoquons pas ici l'idée de re-naissance, qui apparaît dans de très nombreux courants de la pensée taoïste, de façon à ne pas brouiller notre démonstration. Nous ne nous préoccuperons pas non plus de savoir si pendant la petite enfance il y aurait ou non chez les humains des facultés de perceptions extrasensorielles, une possibilité de percevoir les énergies de façon non conventionelle, — faculté qui serait ensuite « oubliée » avec l'introduction d'une certaine éducation dans la perception des choses).

Notre conscience apprend donc peu à peu à distinguer ce qui est douleur de ce qui est joie, à distinguer l'agréable du moins agréable, le froid du chaud, l'interne de l'externe. A l'intérieur nous percevons la faim, et c'est de l'extérieur que nous provient la nourriture. Nous prenons également conscience de notre identité, du nom que nous portons et du corps que nous avons. La façon de percevoir celui-ci, la façon d'être en lui, évolue à travers les échanges, avec les parents notamment, et aussi le milieu culturel.

L'agrément et le désagrément vont être reliés dans notre conscience chacun à des circonstances et à des conditions tout-à-fait déterminées, auxquelles il va falloir se soumettre, depuis l'autorité parentale jusqu'à l'influence culturelle. Et c'est notamment ce que la joie nous a apporté que nous reconnaîtrons le mieux. La conscience va se rappeler les joies et les peines antérieures et elle désirera les répéter, ou les éviter au contraire.

Cette conscience de soi est de plus en plus assurée

 etc. ...

ce qui se traduit dans notre corps par un état en perpétuel devenir.

Notre corps évolue en fonction de l'histoire de notre vie. Exactement comme le fait l'énergie qui va ou non être gênée dans sa course selon que nos émotions sont bloquées ou au contraire bien assumées.

Si notre conscience reste passive, embourbée dans les habitudes de l'enfance, ce sera, tout-à-fait inconsciemment, la vie de nos parents qu'elle reproduira pour nous. Elle restera sans le savoir identique à elle-même, chargée de leurs propres points de vue, de leurs façons d'être et de vivre, ou bien elle se rebellera contre tout cela, ce qui l'amènera ni plus ni moins à batailler avec les mêmes valeurs. Elle évoluera dans un espace défini par nos parents et reproduira à sa façon leur propre histoire.

Si nous prenons conscience que notre esprit et notre corps sont dans cette sorte de non-liberté, nous pourrons peut-être en sortir, et à partir de là nous mettre en quête de nos ressources propres, pour modeler notre vie. Nous trouverons notre espace propre, nos propres limites.

Nous avons vu comment le ☰ Yang se renforce sans cesse, tant que le savoir conscient est en cours de constitution. Si nous sommes convaincus que celui-ci a une existence réelle en soi, il se repliera sur l'extériorité. On ne se demandera pas, qui voit, qui entend, qui espère, qui souffre, qui se réjouit et qui se révolte. Le savoir conscient s'identifiera à son propre contenu, délimitera son territoire.

La pensée, le sentiment et l'expérience du « moi » constituent le contenu central, l'histoire centrale de la connaissance consciente. Et celle-ci s'assimile à cette histoire centrale, au « moi ». C'est l'espace clos dans lequel notre conscience vit.

Si jamais elle se contente de ce conditionnement-là, nous nous sentirons menacés par tout ce que notre conscience ne connaît pas, et aussi par la mort. Notre conscience s'égarera dans des plaisirs et des objectifs toujours renouvelés qui lui seront agréables certes, et la valoriseront. Mais tandis qu'elle tombera dans cette erreur grossière, elle gaspillera de l'énergie. Le « moi » devra sans cesse contrôler, afin que ce qui le menace, ce qui lui est étranger, ne puisse justement pas le réduire à sa merci. Désormais la sur-tension ainsi engendrée ne pourra plus se dissiper.

Si ce conditionnement, ce raidissement sur notre propre histoire, n'est pas dénoncé par notre cœur même, par le cœur de l'individu, c'est le « moi » qui en fin de compte en sera la victime.

La « chute » commence, le Yin ☰ ☵ ☶

etc., monte

Le Yin se manifeste au « moi » sous forme de peur, de mort, d'anéantissement, de perte totale d'identité. L'espace se rétrécit de plus en plus. La menace contre la vérité que constituent les plaisirs, la sexualité, aussi bien que la vitalité souterraine de l'organisme lui-même, cette menace doit à tout prix être contrôlée, maîtrisée. Tout ceci use et abuse le Qi vital, qui s'efforce tout-à-fait artificiellement de maintenir le « moi » fort et inébranlable. La maladie et la mort sont combattues, jusqu'au stade suivant : ☰ ☰ , le combat est alors terminé.

C'est ainsi que l'enseignement interne du Taoïsme envisage l'évolution sans Savoir véritable, si l'on n'a pas su harmoniser en soi le Yin le Yang. On dit qu'ils se détruisent l'un l'autre, à cause du « conditionnement » de la conscience (celui du savoir conscient).

Ce « conditionnement » est dû au fait que le Yang véritable, le savoir conscient, est la victime de son propre contenu. Par « contenu », nous entendons le « moi » de l'être humain, sa forme la plus impénétrable. Le paradoxe est que ce contenu justement, ce « moi » est au fond l'une des manifestations de l'énergie originelle, celle du Néant, et qu'en même temps elle s'y oppose.

Le Yang véritable est transformé en « faux » Yang, le Yin véritable en « faux » Yin.

« Le savoir véritable a l'apparence de l'obscurité pour un regard conditionné ».

C'est en fait le « moi », qui projette son ombre à l'extérieur de soi. Et comme le « moi » ne sait pas que cette ombre émane justement de lui-même, il va s'imaginer que l'obscurité est une menace qui lui vient de l'extérieur.

Cependant si l'on réussit à utiliser le Qi vital pour mettre cette illusion en lumière, et la comprendre, alors la forme du « moi » deviendra plus souple et réceptive. L'énergie de vie s'écoulera librement et ne se dressera plus, ne se montera plus contre elle-même.

En s'imposant, l'ordre social confucéen avait infléchi un profond changement dans la philosophie du Tao. Le principe spirituel était dès lors tout bonnement assimilé au masculin, à la masculinité, identifié au ciel, à ce qui seul serait créateur. D'où un certain raidissement, et l'apparition d'une forme rigidifiée au niveau le plus élevé, et de son ombre portée. C'est un peu comme si de tels cieux projetaient sur la terre leurs propres ombres.

Fondamentalement il n'est plus question là ni de l'essence du monde, ni de la force originelle du Néant. La projection d'une vérité est prise pour la vérité elle-même. Le Yin (Kun) n'a plus de sens, et par là-même le Yang (Qian) non plus.

(Le Yin et le Yang, fémininité et masculinité, ne doivent pas être mis sur le même plan que l'homme et la femme en tant qu'individus. Il s'agit des forces du Yin et du Yang, qui se manifestent dans chaque être humain, et agissent en chacun de manière tout à fait spécifique.)

C'est ainsi que ces concepts nous sont parvenus en Occident, sous une forme issue de cette déformation patriarcale. On peut le regretter, car cela n'aide en rien l'homme d'aujourd'hui à se défendre contre les maux qui l'assaillent. La force du Yin a dégénéré en pure susceptibilité, pure réceptivité, et obscurité qui nourrit ou menace le Yang. C'est ainsi que la lumière de l'origine de la création reste désormais masquée aux tenants de cette théorie.

En conclusion, nous reviendrons sur les huit hexagrammes, sur l'augmentation et la diminution du Yin et du Yang suivant les principes de la conversion, contradictoire et complémentaire, de ces deux forces.

Les limites et les obstacles à la liberté de notre évolution « normale » sont maintenant levés. Dans l'enseignement du Taoïsme, il est dit :

« L'âme du soleil Yang représente ce qu'il y a de plus raffiné dans le savoir conscient humain ; et l'âme de la lune Yin, ce qu'il y a de lumineux dans la Sagesse, le Savoir véritable. Sans la lumière de la grande Sagesse, le savoir conscient ne peut pas voir bien loin. Sans sa manifestation dans le savoir conscient, le Savoir véritable ne peut pas irradier sa lumière. Le savoir conscient s'envole, léger et facile, vers les sommets, et il refoule alors le Savoir véritable. C'est là que celui-ci peut être étouffé et sombrer dans l'inconscient. »

C'est exactement ce qui se passe dans une évolution « ordinaire ». Si le Yin et le Yang se désolidarisent et que le savoir conscient projette sa propre ombre, les cinq éléments et nos émotions vont apparaître comme des menaces, rebelles. Ils vont se maintenir au niveau très étroit du « moi » et provoquer dans les organes correspondants de notre corps de graves lésions.

Si la conscience arrive à pénétrer jusqu'à ces profondeurs, et à comprendre ce qui s'y passe, au lieu de mener son combat entièrement axé sur le « moi », et au lieu de contrôler sans cesse, les éléments et les émotions vont pouvoir se muer en vertus et en avantages pour l'individu.

Les cinq éléments s'aident et se bonifient les uns les autres. Ils interagissent dans une harmonie bienfaisante. Peut-être pouvons-nous entrevoir de quoi il s'agit ici, si nous savons ce qu'est l'état de non-résistance, l'état d'abandon, le lâcher-prise.

L'envie volontariste se mue en joie. La douceur n'est plus synonyme de soumission, ni l'ouverture et la tolérance synonyme de faiblesse, ni l'accueil chaleureux synonyme de servilité.

La joie se mue en bonheur, en délice. La mauvaise humeur et le souci imposé, en méditation. L'esprit ne travaille plus qu'à ce qui est créatif, productif.

On voit bien qu'il s'agit là d'un « circuit » d'un genre complètement différent. En pénétrant dans les profondeurs, le savoir conscient va se vider de son contenu rigide et se libérer de son conditionnement. Il va devenir perméable et réceptif et s'épanouir d'autant.

Du fond de notre être le plus secret, monte le Yang véritable, sans plus de tourments ni d'efforts volontaristes.

Dans le Taoïsme, on emploie souvent symboliquement l'image de l'embryon spirituel, qui jaillit de l'union de la force du Néant — Savoir véritable — et de la force pensante — savoir conscient. Exactement comme le fait l'embryon de chair et de sang, qui se développe à partir de la fusion des différentes informations génétiques que portent l'ovule femelle et la semence mâle.

L'embryon est le symbole de ce que l'être humain peut être par-delà tout conditionnement. Le Jing se mue en Qi, le Qi en Shen. Et quand le Yang est à satiété $\equiv$ il peut s'épanouir en Sagesse. L'épanouissement de Shu intervient dans le silence et la paix de l'esprit, en état de profonde méditation.

Ce n'est qu'ainsi que la source jaillissante, l'origine, pourra apparaître en pleine lumière. Si l'esprit est bien dans un état d'éveil et de concentration parfaite, le Néant ne s'anéantira plus lui-même.

Cela signifie véritablement que l'esprit ne peut plus tomber dans les pièges d'un conditionnement de la conscience par son propre contenu, le « faux » Yin.

C'est la force véritable, et elle n'émane d'aucune impulsion volontaire ou volontariste. Il faut que l'esprit actif soit désormais serein et « vide », et alors il saura ce qu'est la Sagesse.

Le Yin s'exprime de plus en plus, et se dévoile maintenant comme Néant véritable, et non plus comme anéantissement par la mort, le « faux » vide, le « faux » néant.

« L'espace du néant devient blanc, et les cent artères se taisent. C'est le Néant. » Ainsi s'exprimait Wu Hui Xue. « Si l'on ne voit le Néant qu'en tant que vide, alors ce n'est pas de lui qu'il s'agit. »

« Dans le Néant authentique, il n'est pas de vide, mais seulement de l'énergie. C'est l'énergie sacrée. Cette circulation de l'énergie, sans commencement ni fin, ne crée plus jamais le vide ». L'esprit revient à l'origine. Il est désormais béni, dans la force de l'ouverture et de la tolérance. Ce n'est qu'ainsi que la force véritable arrive à l'Etre.

L'être authentique et véritable vit au monde sans jamais se laisser mener par lui. Il vit à partir de la spontanéité du Tao, apprenant l'essence véritable des « dix mille choses ». Il est identique à chacun, ouvert, perméable, mais ne s'identifie pourtant à rien : il reste vigilant. Si l'on atteint ce niveau de conscience, l'œuvre est accomplie. Le Yin et le Yang sont parfaitement en harmonie. La lumière vraie de la force originelle du Néant se révèle grâce à la lumière de la Connaissance. La Sagesse et l'Esprit apparaissent désormais comme le cœur unique. N'est-ce pas cela le SENS ?

Dans les deux tableaux ci-après, nous avons essayé d'une part de cerner de façon plus précise les propriétés du Yin et du Yang du point de vue des équilibres que nous avons vus dans le processus de leur évolution contradictoire et complémentaire — la conversion — , et d'autre part de les montrer du point de vue de la dualité et des contrastes.

Peut-être l'examen de ces listes demandera-t-il un peu de temps pour porter les fruits de son enseignement. Ces tableaux jettent en tout cas un éclairage nouveau sur certaines interprétations courantes du Yi King [1].

---

1. Le *Yi King*, de Richard Wilhelm, est édité en français, dans la traduction d'E. Perrot, par les Éditions Librairie de Médicis.

Le Yin et le Yang se reconnaissent mutuellement
dans la paix et le flux
« Joie du cœur libéré »

Yin	Yang
sagesse	connaissance
savoir véritable	savoir conscient
lumière véritable	lumière consciente
absolu	relatif
être	conscience
non-être	être
sujet (l'origine)	objet (produit)
objet (de la connaissance)	sujet (de connaissance)
lumière originelle	lumière de connaissance
innomé	verbe
éternité	temps
immobilité créatrice	mouvement créateur
non-faire	faire
méditation	activité
ouverture	vigilance
énergie véritable	énergie consciente
spontanéité	procédés experts[1].
énergie	manifestation
forme dans le néant	néant dans la forme
eau	feu
néant	forme
force de la transformation	force de la décision
terre	ciel
lune (transformation, néant)	soleil (décision, forme)
force sage originelle	force de l'esprit
don	devoir
révélation, donner à connaître	compréhension -pénétration- reconnaître
profondeur (du savoir)	élévation (de la connaissance)
être fertil	fertiliser
ovule	spermatozoïde
détachement	tension
nourriture	purification

---

1. « Gong » dans « Qi Gong » peut être traduit par « activité experte ».

« La vie dans les contradictions est gaspillage d'énergie, souffrance inutile ».

Blocage

faux **Yin**	faux **Yang**
obscurité	lumière
inconscient	savoir du moi
matière	esprit
servir	dominer
chaos	ordre
chute	création
peur de la mort	soif de vie
recevoir	produire
passivité	manipulation - contrôle
corps	esprit
méchanceté - péché	bonté - vertu
sorcière	prêtre
chaos - dissolution	ordre imposé -hypertension
objet possédé	possession
impuissance	puissance
allégeance aveugle	dictature - tyrannie
sombrer	conquérir
dessous	dessus
détresse	contrôle
victime	coupable
faiblesse	force
déplaisir	plaisir
maladie	santé

Chapitre 17

SENSATIONS PARTICULIÈREMENT EXTRA-ORDINAIRES

La transformation de l'énergie peut s'accompagner de manifestations, que nos perceptions ne peuvent normalement pas élucider.

Ainsi, même des discordances ou des perturbations inhabituelles ne doivent pas être comprises comme forcément pathologiques. Elles sont plutôt l'expression d'une certaine purification.

Dans le chapitre sur la 6ème forme du « Vol de la Grue », on a décrit de nombreux phénomènes de ce type. Il n'y a d'ailleurs pas que chez les adeptes de Qi Gong que ces phénomènes apparaissent. Ils peuvent en effet se manifester partout où intervient, d'une façon ou d'une autre, une transmutation comparable de l'énergie. C'est en effet possible dans bien d'autres pratiques qui font intervenir un processus de purification physique et spirituelle en profondeur, par exemple lors d'un jeûne prolongé ou lors d'une simple séance de méditation immobile assise. Il se peut que l'on n'ait envisagé par avance aucunes pulsions particulières — de celles qui nous entraînent à des mouvements issus du plus profond de nous-mêmes. Il se peut que l'on ne se soit pas attendu non plus aux bruits, ni aux voix, ni à la musique que nous entendons pourtant, ni à la lumière que nous percevons pourtant. Rien de tout cela ne devrait cependant être considéré comme manifestation pathologique.Il peut se faire aussi que ce genre de choses, extra-ordinaires, intervienne spontanément, sans pratique de méditation d'aucune sorte. L'individu n'est alors pas préparé à ce type d'aventure, et il arrive qu'il se croie alors un peu « dérangé ».

Si ces symptômes spontanés, dûs à un certain nettoyage interne en cours, surgissent avec trop de force, il se peut même que l'individu commence à douter complètement de sa raison, et qu'il se croie véritablement « fou ».

Ce n'est que très récemment qu'on a pu étudier ces phénomènes de purification interne de manière scientifique. On ne les avait en effet jusque-là pratiquement jamais traités, dans aucune formation de travailleurs sociaux, de psychothérapeutes, de médecins, de psychologues ni de guérisseurs.

C'est pour cela que lorsque, spontanément, il arrivait à quelqu'un ce genre de phénomènes d'auto-purification, on se trompait couramment de diagnostic, surtout si la personne se trouvait en période de crise particuliérement aiguë.

C. et S. Grof ont parlé d'une « urgence spirituelle », quand la personne concernée voit ses capacités à dominer la vie quotidienne fortement atteintes, parce que ces phénomènes de purification interviennent de façon particulièrement intense.

On peut tirer de l'étude de crises de ce type les remarques suivantes :

— Les personnes qui pratiquent un type de méditation bien régulier, quel qu'il soit, vivent certaines modifications, lentes cependant, celles-ci se traduisant rarement par des crises importantes ou handicapantes.

— Les personnes qui ont été surprises par accès subit, ont souvent été utilement aidées par l'apprentissage d'un exercice de méditation adapté à leurs propres besoins — après disparition des symptômes aigüs. L'énergie ainsi libérée est une sorte d'« intelligence ». Elle peut grâce à de tels exercices être canalisée et fertilisée.

Il est vrai que ce type de phénomène est un véritable cadeau pour l'individu, une transformation en profondeur. Ce n'est que tant que le phénomène n'est par reconnu comme tel qu'il peut apparaître comme un fléau.

Peut-être cette nouvelle intelligence exige-t-elle une activité libératrice, une création artistique, ou les deux, pour pouvoir s'exprimer.

Si la personne découvre en elle-même de nouvelles dispositions, elle pourra les développer avec toute la gratitude qui se doit. Mais si elle prend ces dispositions comme un dû, cela pourrait être dangereux. Si l'individu concerné reste figé dans une sorte de fascination ou un sentiment de supériorité personnelle, le phénomène de purification se bloquera.

— Lorsqu'il y a symptômes aigüs, et qu'arrive un accès de transformation comme par exemple la con-fusion, la pensée accélérée ou ralentie, on a pu observer le bien-fondé d'un travail corporel ou de la pratique du sport. Ce sont alors toutes les fonctions vitales de l'organisme qui sont mobilisées. Tous les registres travaillent de concert : registres physique, spirituel et mental.

— Si le phénomène se déroule trop rapidement, il est bon de manger davantage, en particulier des céréales et de la viande. Tout ce qui est sucré, les fruits et les nourritures légères, auront plutôt un effet d'accélèration du processus.

— Le surmenage et le stress sont à éviter, de même que le café et le thé fort, et tous les excitants.

— Le travail intellectuel doit être bien dosé.

Ce dont il s'agit ici, c'est donc d'un équilibre à un niveau très profond.

Certains dangers guettent la personne à qui est envoyé ce magnifique « cadeau » : le danger de se renfermer dans un rationalisme intellectuel sans issue, ou celui de disperser tout son potentiel dans une fascination sans objet.

Le mieux bien-sûr est de s'ouvrir à la purification et à toutes ses manifestations, c'est-à-dire de n'y opposer aucune résistance et de laisser naître en soi, en toute conscience, l'expression appropriée de la Sagesse de cette force nouvelle.

QUATRIÈME PARTIE

ANNEXE

Zhào Jin Xiang — Fondateur de la méthode Hè Xian Zhuan, Qi Gong du « Vol de la Grue ».

« Si tu es malade depuis longtemps,
c'est toi-même qui dois devenir ton propre médecin.
Et quand tu auras trouvé la voie de l'auto-guérison,
tu ne craindras plus la mort. »

Zhào Jin Xiang

Zhào Jin Xiang est né en 1934 dans un petit village de la province de Shandong. Très jeune il s'intéresse déjà aux arts martiaux, à la médecine chinoise, à l'acupuncture, à l'histoire et à la calligraphie. A 16 ans il quitte le lycée pour travailler à Beijing. Quelques années plus tard il souffre d'une fluxion de poitrine grave et de tuberculose ; sa santé se dégrade rapidement. En 1962 il est si faible qu'on lui prescrit un séjour en sanatorium.

Zhào Jin Xiang a alors l'intime conviction que la vie n'aurait pas de sens s'il devait succomber si jeune à la maladie. Il tombe alors sur le livre du célèbre maître de Qi Gong Lui Guai Zhen , intitulé « Qi Gong Liaoma Shijian », et il l'étudie comme il va d'ailleurs étudier les livres de médecine occidentale et chinoise. Il se forme alors à tout ce qui concerne le système des méridiens, l'acupuncture, la science du Yin et du Yang et des 5 éléments. Bientôt, à l'hôpital, les médecins ne comprennent plus trop s'il est là en tant que patient ou en tant qu'étudiant ! Lui, toutefois, a la certitude qu'il doit continuer à se former lui-même, car il a déjà perdu un frère et ses grands-parents, morts du typhus, que personne n'avait réussi à aider.

La découverte du lien étroit qui existe entre médecine, Qi et santé, va changer sa vie. Il entreprend les exercices pratiques de méditation et de Qi Gong , et cela lui rend peu à peu la santé. Après une période d'entraînement intensif, on va le laisser quitter le sanatorium, parfaitement rétabli.

Entre-temps, quelque chose s'est métamorphosée en lui, de façon extra-ordinaire. Il a vu qu'il peut non seulement se guérir lui-même, mais également guérir d'autres malades. Il observe d'autre part que cela correspond justement à ce qu'il a envie de faire : aider les autres. Déjà à l'hôpital il apprenait à ses compagnons la méditation quotidienne.

Zhào Jin Xiang, 1987

Sur le trajet qui le ramène du sanatorium dans sa famille, à Huainan, il rencontre un maître de Qi Gong. Ce maître, Zhào, alors moyennement âgé, et vêtu comme un simple paysan, entraîne Zhào Jin Xiang dans une discussion à batons rompus sur le Qi Gong. Il lui recommande quelques exercices, et lui en fait la démonstration, ce qui laissera Zhào Jin Xiang « léger comme un oiseau ».

Cette rencontre sera d'une extrême importance dans sa vie. Cela le renforcera dans sa décision d'approfondir encore l'entraînement Qi Gong , et même d'en développer une forme originale, qui allierait mouvement et immobilité (méditation). En étudiant les livres anciens sur le Qi Gong, ce sont en particulier les exercices de la grue qui vont retenir son attention.

C'est donc en se servant des leçons des Maîtres Qi Gong anciens et contemporains, qu'il va développer le Hè Xian Zhuan, le Qi Gong du « Vol de la Grue ». C'est en 1980 que naîtra le « Vol de la Grue ». Il commencera alors son cours avec 7 élèves à Ritan Park, à Beijing .

Aujourd'hui il existe environ 15 millions d'adeptes du « Vol de la Grue », en Chine et dans le monde entier.

Au cours de ces derniers années, Zhào Jin Xiang a soigné de nombreux malades. Parmi eux un certain nombre avaient été laissés pour compte par la médecine officielle. Plus de 4.000 de ses anciens élèves sont entre-temps eux-mêmes devenus des enseignants, connus et expérimentés.

Zhào Jin Xiang n'enseigne plus aujourd'hui qu'aux étudiants avancés qui pratiquent déjà le Qi Gong à haut niveau, selon les principes de la méditation taoïste.

Zhào Jin Xiang dit avec sa modestie coutumière : « ma méthode repose sur les théories et les connaissances de ceux qui m'ont précédés, de mes collègues et de mes amis : l'appellation « Vol de la Grue » a été choisie en concertation avec mes collègues et moi-même.

Le fait que cet enseignement soit tellement populaire tient à ce que tous ces mouvements sont rapides et faciles à retenir. On peut les apprendre et commencer les exercices facilement, et c'est relativement rapidement que l'on pourra sentir les premiers effets du Qi et l'ouverture des méridiens.

D'autre part cette méthode est officiellement encouragée par le gouvernement. Par allusion au vieux proverbe chinois :

« laisse 100 fleurs s'épanouir », le gouvernement soutient qu'il « faut que 100 écoles de Qi Gong s'épanouissent, le Hè Xian-Qi Gong n'étant que l'une de ces fleurs. »[1]

Cheung Chun Wa — Instructeur à Hong Kong

Cheung Chun Wa est né à Sumatra, en Indonésie, en 1933. En 1957, il revient dans son pays, la Chine, pour faire des études de chant, à l'école de musique de Xian. Là il rencontre sa femme, Liu Ya Li. A Xian, Cheung Chun Wa est atteint d'arthritisme aigü et il est envoyé dans une maison de santé où il va avoir son premier contact avec le Qi Gong et le Tai Ji Quan. Cette forme d'exercice est alors recommandée à l'hôpital et fait partie intégrante du traitement. Grâce à la pratique intensive du Qi Gong , sa maladie sera presque complètement guérie.

C'est après sa sortie de l'hôpital en 1981, qu'il va rencontrer un élève de Zhào Jin Xiang, devenu enseignant à Xian, et qu'il va apprendre le Hè Xian Zhuan, le « Vol de la Grue ».

Après son arrivée à Hong Kong en 1983, il entreprendra la même année un voyage à Beijing, pour faire personnellement la connaissance du maître Zhào Jin Xiang. Après cette rencontre, qui sera suivie de bien d'autres, Cheung Chun Wa sera complètement guéri.

Il entreprendra lui-même en 1983 d'enseigner le Qi Gong à Hong Kong. Depuis lors il a eu plus de 3.000 élèves.

Aujourd'hui Cheung Chun Wa est l'instructeur officiellement autorisé par le Maître à enseigner le Qi Gong du « Vol de la Grue » à Hong Kong.

Petra Hinterthür

Petra Hinterthür est née à Stendal en 1948. Elle passe son enfance à Hambourg, part en 1972 à Tokyo où elle restera deux ans et demi. Elle vit ensuite avec sa famille à Hong Kong de 1976

---

1. Ce texte est une traduction libre d'un passage de l'auto-biographie de Zhào Jin Xiang.

à 1986. Là, elle fait des études d'histoire de l'art européen et chinois, à l'université de Hong Kong. Elle prend aussi des cours de calligraphie chinoise chez des maîtres en calligraphie à Hong Kong. Elle écrit des articles dans les journaux locaux sur l'art, et publie un livre en 1984 : « L'art moderne à Hong Kong ».

Depuis l'automne 1986, elle vit de nouveau à Hambourg, où elle a ouvert en 1988 une galerie d'art et d'ésotérisme, forum où se rencontrent l'Orient et l'Occident.

Depuis 1979, elle a pratiqué différents types d'exercices de méditation, comme le Kundalini Yoga, le Hatha Yoga la méditation Zen, et elle a appris le Taiji Quan, le Taiji-Gongfu, le Gong-Qing-Qi Gong, et le Hè Xian Zhuan-Qi Gong, le « Vol de la Grue ».

En 1983 elle a fait la connaissance du maître Qi Gong chinois Cheung Chun Wa, à Hong Kong, et depuis lors elle pratique le « Vol de la Grue ».

Astrid Schillings

Astrid Schilling née en 1952 à Düsseldorf, où elle passe une enfance peu banale. Elle travaille d'abord comme rédactrice dans un journal, après des études de psychologie et de sociologie, à Bonn et à Cologne. Les points forts de sa trajectoire depuis quelque années sont les suivants :

— observation et pratique de la médecine psychiatrique occidentale et orientale,
— expérimentation et recherche sur les rapports entre méditation immobile et mouvement (Allemagne fédérale, Japon, Hong Kong, USA),
— psychosomatisme,
— étude des limites du travail de psychothérapie,
— étude du Qi Gong , du mouvement spontané,
— goût pour la danse.

En 1980 elle rencontre le Comte Dürckheim et devient son élève.

Depuis 1984 elle collabore au travail de l'école de Todtmoos-Rütte sur la thérapie initiatique et la psychologie transpersonnelle.

Actuellement, elle vit à Bruxelles avec son mari, Bill Fraser, et y travaille en libérale. C'est là-bas et en Forêt Noire qu'elle donne régulièrement ses cours de Qi Gong du « Vol de la Grue ».

Ill. de gauche à droite :
Astrid Schillings, Cheung Chun Wa, Petra Hinterthür

une nouvelle collection sur les médecines douces

Shalila Sharamon
Bodo J. Baginski

Pierres Précieuses & Signes du Zodiaque

Entrelacs

188 pages, 36 photos couleurs

Fascinants interprètes de la lumière, les cristaux et les pierres précieuses ont de tout temps, exercé leur pouvoir. Recherchées pour leur beauté et leur rareté, elles le sont aussi pour leur vertu de protection et de guérison.

Entrelacs

Une nouvelle collection
sur les médecines douces

Ce livre fait découvrir, à travers un ensemble d'exercices simples,
pourquoi et comment l'action des Boules QI GONG
stimule les zones réflexes des mains et les méridiens,
et provoque des effets bienfaisants,
dans le sens de l'équilibre énergétique.

Achevé d'imprimer sur les Presses de
Mame Imprimeurs à Tours
N° d'impression : 39391
Dépôt légal février 1997

Maquette couverture : « L'Image tous supports », 83670 Barjols

---

❖

Cet ouvrage a été saisi, enrichi et mis en pages
sur PAO par
EDI (Études et Documentation Internationales)
29, rue Descartes — 75005 Paris
tél. : (1) 43 29 55 20